［ 口絵1 ］

長谷川愛 ／ Ai Hasegawa

I Wanna Deliver A Dolphin...

（私はイルカを産みたい…）

2011-2013

人間は遺伝子を次世代に渡す方法として子どもたちを育てるように遺伝的に仕向けられているが、人口過剰と緊張した地球環境のために最適な状況で子どもを育てることはより難しくなっている。この作品は、潜在的食物不足とほぼ70億人の人口の中、これ以上人間を増やすのではなく、絶滅の危機にある種（例えばサメ、マグロ、イルカ等）を代理出産することを提案している。子どもを産みたいという欲求とおいしいものを食べたいという欲求を満たすために、食べ物として動物を出産してみてはどうか？ という議論を提示し、そしていかに可能にするかという方法も示している。［本文29ページ以降を参照］

「未来のバイオテクノロジーは、台所から生まれるかもしれない」。遺伝子組み換え技術で作られた青い花たちを「DIYキッチンバイオテック」で「ありふれた花」にし、花の生息地を企業から「自然」に還すことで、現代のバイオテクノロジーの発展によって社会が直面している諸問題を広く問いかけるプロジェクト。[本文35ページ以降を参照]

［ 口絵2 ］

BCL / Georg Tremmel & Shiho Fukuhara

Common Flowers / Flower Commons

2009

[口絵3]

脇田玲 ／ Akira Wakita

Ryoanji / Parking

2016

ヴィジュアライゼーションとシミュレーションの技術を用いてこの世界を再解釈するための作品を制作。脇田は目の前にありながらも知覚することができない自然界の情報を可視化することで、見えない世界を見える世界へと変えることを試みる次世代アーティスト。この作品は、京都の龍安寺の石庭の絶妙にデザインされた間が作り出す緊張や緩みと、全くデザインされていないと考えられる東京都内のある駐車場を俯瞰した風景を、両者の相違と類似に着目し可視化した作品である。フィンセント・ファン・ゴッホの名画『星月夜』(ニューヨーク近代美術館＝MoMA収蔵)において、ゴッホは彼の内在的世界を雲の流れで表現した。これに対して脇田玲は、現代のサイエンステクノロジーを駆使することで新たな形で表現する。

[本文40ページ以降を参照]

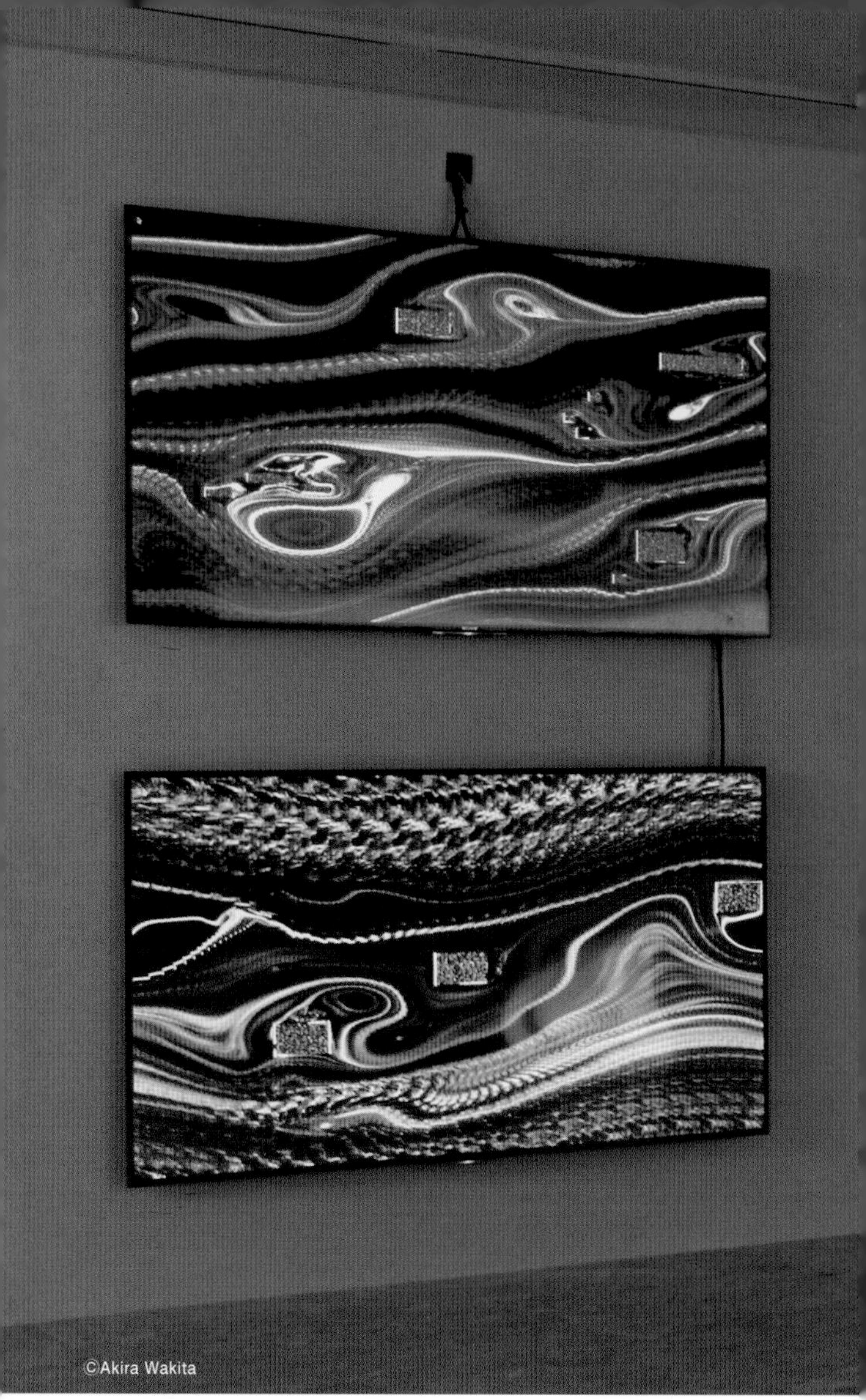

©Akira Wakita

©落合陽一

時計とその前にあるレンズがセットとなり、円環状に整然と設置されている。次々と時計が発光することで、異なる時間がアニメーションとして連なり、実在しない奇妙な時間(『鏡の国のアリス』の世界のような)が壁面に映し出される。12の物質的な時計で構成され、全体で一つの「時計」のように見える装置から、各時計の示す時間が高速で連なり表示されることで実現する、映像上の「時計」。「物質から直接に映像を作る」ことで、メディアや視覚について再考させる作品。インスタレーションから発せられる光と影によって空間をつなぎ、鑑賞者や空間自体も映像の一部として、時間的、空間的に変換していく。東洋にとっての宇宙=「宇」は空間、「宙」は時間を意味する。西洋にとってのUniverse は、Uni-(統一された)Verse(物語)だ。我々にとっての時空は主体なき次元で記述されている。[本文45ページ以降を参照]

［ 口絵4 ］

落合陽一 ／ Yoichi Ochiai

Looking - Glass Time

（アリスの時間）

2012

［ 口絵5 ］

真鍋大度 ／ Daito Manabe

“critical line - version 0”

2020

このインスタレーションは、これまでダンサーの身体表現、そして自身の脳活動、そしてAI、ロボットなどをモチーフに作品制作を行ってきた真鍋が自然と人工物との境目に着目した新作である。ソフトウェアや人間によるオペレーションでは作り出せない新しい視覚表現を獲得するために、外部からの電気刺激に対応する分散培養細胞の神経活動データが持つ時空間的パターンを解析、変換し音と光のデータを生成している。（データ提供：高橋宏知研究室）［本文48ページ以降を参照］

〈問い〉から始める
アート思考

吉井仁実

光文社新書

はじめに

アート思考とは

「アート思考」という言葉をよく耳にするようになりました。これをテーマにした本や記事もいろいろなところで見かけます。しかし、アートの世界に長い間（たぶん生まれたときから）身を置いてきた私には「アート思考」という言葉がしっくりきません。なぜなら、私はアートに特定の思考があると思ったことがないからです。むしろ、アートは常に新しい思考を生み出し続けるものだと思います。仮にある一つの思考があったとしても、必ずそれを打ち破ろうとする動きが出てきて、別の思考に取って代わられるのです。そうやって一時代を築いた思考があっても、やがてその思考も次の新しい思考にバトンを渡していきます。それがアートの本質的な営みだと思っています。

だから、「アート思考」を私なりに解釈すると次のようになります。

・アート思考＝問う力

現代の社会に対して「問い」を投げかけること。それが「アート思考」であると。「この既成の考え方は本当に正しいのか」「今の時代ではこのような表現もあり得るのではないか」「どうして私たちはこんな不自由を強いられるのか」などという問いを、ときにはユーモラスに、ときには洗練された手法で、ときには突拍子もないやり方で、つまり今までにない方法を用いて表現する。それがアートであり、その「問う力」が画期的であればあるほどにアートの価値が高まると私は思っています。

バンクシーの「社会的な問い」

例を挙げましょう。バンクシーはその顕著な例の一人です。

この英国に拠点を置く謎のアーティストが作品を作ると、世界中のメディアが報道して大きな話題を呼びます。例えば、彼の名を一躍有名にした出来事の一つに「シュレッダー事

図1　「シュレッダー事件」の様子。2018年10月5日、『ガール・ウィズ・バルーン』（風船と少女）が落札されると、額縁の中に組み込まれていた機械が作動。作品が額縁の下にずり落ちていき、内蔵されていたシュレッダーが作品を断裁し始めた（バンクシーの公式インスタグラムより）。

件」があります。２０１８年10月５日、著名なオークションハウス「サザビーズ」で競売にかけられた作品『ガール・ウィズ・バルーン』（風船と少女）が１０４万２０００ポンド（約１億５５００万円）で落札されると、その直後、額縁の中に組み込まれていた機械が作動。作品が額縁の下にずり落ちていき、内蔵されていたシュレッダーが作品を断裁し始めたのです（図1）。その後、作者のバンクシーが自ら機械を仕掛けていたことを表明。新たな作品名として『愛はごみ箱の中に』と命名されました。大きなニュースになったので、ご存じの方も多いと思います。

どうしてバンクシーはこのようなことをしたのか。これも社会に対する「問い」の投げかけです。「アートとは何か」というテーマをバンクシーは社会に示したのです。どんなに素晴らしいファインアートの作品でも、オークションに一度かけられれば、価格が決められて売買されます。いったいアート作品を買う人はアート作品に何を求めているのでしょうか。価格が付く物質的なものを求めているのか、それとも価格が付けられない内在的なものを求めているのか。アート作品であればこの二つの面を必ず備えていますが、美術作品が競りというシステムの中で高額になればなるほど、その二つの面の境目が分からなくなっていきます。

もし、目の前に「これは１億５５００万円の本物の絵です」と言われて置かれたら、どう思うでしょうか。作品を鑑賞する前に、どうしても「これは１億５５００万円の絵だ」と思ってしまうのではないでしょうか。つまり、作品を作品のまま見ることができなくなり、作品という物質から生まれる経済的価値を強く意識している状態となるのです。これがもし１００億円の絵だったら、もはや冷静な気持ちで作品に内在されているものを見ることが不可能になってきます。だとすると、いったいアート作品とは何なのでしょうか。

おそらくバンクシーはオークション会場で自ら作品を切り裂くことで、「アート作品に高い価格を付け、売り買いすることで、人間は何を手に入れることができるのか」という問いを社会に投げかけたのでしょう。もちろん、これは私の解釈ですが、それほど的外れなものではないと思います。その証左として、この作品の落札者は、落札後に作品が切り裂かれたのにもかかわらず、落札価格のままで買い取りました。ここにアートの新しい価値があると理解したからでしょう。

この原稿を書いた後、『愛はごみ箱の中に』はさらに、２０２１年10月14日のサザビーズのオークションに再度出品され、前回の落札価格をはるかに上回る約29億円で落札されました。バンクシー作品として史上最高の落札額だそうです。サザビーズによれば、入札には９名が参加し、10分間にわたり入札が続いたそうです。どこかバブルの気配を感じますが、バンクシーの「問い」に大きな価値が認められたということでしょう。

バンクシー自身も、この事件を通してその名が広く知れ渡るようにもなりました。つまり、この事件を通して投げかけた「問い」の画期性が作品の価値とアーティストの名を高めたのです。バンクシーは、作品のうまさよりも、この仕組みのようなものを作り出すのがうまいアーティストです。そのやり方はとても洗練されていて見事ですが、私にはやり過ぎに感じるときもあります。

いずれにせよ、「問い」を発しないアーティストはいません。アーティストが作品を制作したりパフォーマンスをしたりするとき、何らかのアイデアが必要です。そのアイデアのスタートは、おそらく「問い」の発見にあることが多いと私は思っています。それが社会に問うべき内容であれば、アーティストはそれが一番伝わる形を考えて、作品を制作したりパフォーマンスをしたりします。

ただ、その「問い」には答えがありません。鑑賞者に今まで感じたことがないものを感じさせ、深く考えさせるための「問い」なのです。いかに「究極の問い」を作り出すか。そこにこそアートの営みの本質があると、私は思っています。

ですから、鑑賞者がアート作品に向き合うとき、「これはどんな問いを投げかけているのか」という視点を持つと、その作品をよく理解できるようになります。「アート思考」と呼ばれるものは、アーティストが持つ「問う力」だと前述しましたが、鑑賞者もそれを意識することで「アート思考」というものが身に付けられると思います。

アートに触れる意味

イノベーションの例として引き合いに出される米国アップル社の iPhone にも、私は画期的な「問い」があったと思っています。この製品が登場する前から、スマートフォンと呼ばれる機器はありました。しかし、iPhone が登場すると、それまでの携帯電話市場のシェア分布が大きく変わり、発売以降、アップル社が今も多くのシェアを占めています。

あの小さな機器に多くの人たちの心を揺さぶる何かがあったのでしょう。それはいったい何なのか。便利さや機能性だけではない何かがあったのです。私に言わせれば、それは「問い」のようなものだと思います。問題解決から始まる何かではなく、今の社会や私たちに対する「問い」から生まれた何かがそこにはあった。それは例えば「人が情報をパーソナルに身にまとって発信するようになったら世界はどのようになるのか」という問いだったのかもしれません。そんな問いが iPhone にあったように私は感じます。

今、情報がビジネスや金融と高度に結び付くことで、さまざまな業務や事業が合理化され最適化されています。今の社会は「結果」や「効率」だけを単純に追い求め、「解決」ばかりを提供しようとしていないでしょうか。テレビを見ていても、「問い」を投げかけて深く考えさせる番組はほとんどなく、いたるところで「解」を短時間で見せているだけに思えます。アートのように深く感じさせて考えさせるものが世の中で少なくなっているような気がするのですが、イノベーションを生み出すのは「問題解決」からではなく、「問い」なのではないかと思うのです。

物事を合理的に考えていけば人間の仕事をすべてＡＩに置き換えられるかもしれませんが、

それでも人は最後まで人間にしかできないことを求めるでしょうし、最後に残る仕事が何かと言えば、それは答えのない「問い」を見つけて、今までになかった表現方法でそれを提示し、人々をうならせるような、言い換えればアートのような仕事だと思います。それが人間らしさなのかもしれないですし、少なくともコンピューターは答えのないものが苦手です。

私は、一般の方が現代においてアートに触れる意味は、そこにあると思っています。アートに触れて「問い」を感じる。その感性はやがて社会の事象や出来事から「問い」を感じ取り、そこから生活や仕事につながるアイデアの創出力を育むようになる。２０２０年にパンデミックを起こした新型コロナウイルスの感染拡大やＡＩ技術の進展からも、私たちは「問い」を感じ取って、今までにない何かを作り出すことができるはずです。

病気とは何か。都市とは何か。働くとは何か。生きるとは何か。お金とは何か。家族とは何か。友人とは何か。学校とは何か。コミュニティーとは何か。人間とは何か……。アーティストが投げかける問いのようなものを私たちが持てるようになれば、これまでの生活スタイルや仕事のやり方が変わっていくはずです。それを「アート思考」と呼ぶのであれば、ぜひ多くの方にアートを通してアート思考を身に付けてほしいと願います。

＊　＊　＊

私の父親は東京の銀座で「吉井画廊」というギャラリーを営んでいました。自宅にはいつも美術作品がいたるところにあり、私は父が招いた芸術家や作家の方たちによく遊んでいただきました。

岡本太郎さんもその一人でした。岡本さんは、なんとも言葉では表しにくいのですが、どこか「覚悟」のようなものを、まるで自分を追い込むように持っているといつも感じていました。今思えば、その覚悟は当時の画壇や社会に対する「問い」だったのではないかと思います。その「問い」が、岡本さんの作品や活動、生き方に現れ、今も多くの方に共感され続けていると、私にはそう見えます。

「問い」は、「答え」よりも時を超えて大きな力を持ち得ます。その「問い」が社会的かつ本質的なものであればあるほど、人々を驚かせたり、今まで感じたことのない感情を与えたり、今まで思考したことのないものを考えさせたり、感動させたり、新しい世界を見させたりできます。

このアートが持つ力について、本書でこれから語ることが、読者の方にとって「アート思考」を身に付けるきっかけになればと思っています。

〈問い〉から始めるアート思考　目次

第三章　「アート思考」とは意識の壁を壊すこと

第四章　都市は本当に必要か？

第一章

アートは未来を提示する

アートは「問い」で未来を見せる

この第一章では、最新のアートシーンで活躍するアーティストたちを紹介します。「はじめに」で、アートは「問い」であり、どんなアーティストも「問い」を持っていると書きました。この最先端で創作活動をしているアーティストたちも、もちろん「問い」を持っています。しかも、その「問い」を通して、私たちの未来を照らし出してくれます。

ここですぐにでもアーティストたちの紹介に入りたいのですが、その前に、アートと「問い」の関係についてもう少し説明させてください。アートとは何か、そしてアートとは何でないのかということについての話です。

ほとんどのアーティスト（おそらくすべてのアーティスト）は、ビジネスのような目的を持つことはありません（だからこそビジネスに「アート思考」というものが求められるのだと思いますが、これについては後述します）。言い換えると、アーティストは営利目的や利潤追求のために製品を作ったりサービスを提供したりはしないということです。「作りたいから作る」——。アーティストの創作の動機は基本的にそれだけです。だから、作品が売れるかどうかは結果的なものです。

よく「デザインとアートの違いは何ですか」という質問をいただくのですが、この違いは、ごく簡単に言ってしまえば、作品制作の目的や動機の違いにあると私は思っています。デザインには他人の目的や誰かの問題解決がありますが、アートにはそれが本来的にありません。デザインには必ず施主や発注者などのクライアントがいて、そのクライアントは何かしらの目的を持っています。商業目的だったり、生産性の向上だったり、快適な居住空間の実現だったりなどです。デザイナーはその目的をクライアントから聞き、達成するために問題を明確にしたり、整理したり、余計なものを削り落としたり、解決のアイデアを提案しながら、目的に向かって合理的に物事を形作っていきます。

建築も、多くの場合はデザインです。建築家は施主のクライアントから目的や要望を聞き、それを実現できるアイデアを考え出し、力学的な構造計算をして建物という形で答えを出します。アートには、このようなクライアントや制作プロセスがありません。自分が作りたいものを自分が考えた制作プロセスで作るだけです。

ただし、デザインのプロセスでアート的な思考が入ることがあり、そのアート性が社会的に評価されることはあります。また、あえてアーティストのほうがデザインに近づいて、「問い」として、その境界線を分からなくさせるということもあります。

例えば、アンディ・ウォーホルの作品が良い例でしょう。このアーティストは、缶詰のパッケージなどの商業デザインをあえてアート作品に持ち込むことで、「芸術とは何か」という問いを提示して新しいアートを確立しました。

しかしながら、このようにアートとデザインの境界線が不明確になっても、アーティストにクライアントはいません。仮に経済的な支援をするパトロンのような者がいて、アーティストが配慮したとしても、作りたいものを作るという核の部分をアーティストは手放すことはないし、それをしたらアートではなくなります。「作りたいから作る」――。これがアートの大原則であり大前提です。

実際には、いろいろな創作の環境やケースがあるので一概には言えませんが、商業的な目的や問題解決を第一義にしたら、少なくともそれはアートとは言えないでしょう。それはクライアントワークです。

では、なぜアーティストは創作活動をするのか。繰り返しになりますが、それは見る者に「問い」を投げかけるためです。作品や活動を通して、アーティストは自分で見つけ出した問いを鑑賞者に示し、見ている者の心を揺さぶり、深く感じさせ、今までになかった経験をさせ、新たな世界へと導くのです。それがアートの本質だと、私は思っていますし、そう考えて作品やアーティストと向き合ってきました。

これから紹介する「サイエンスアート」や「テクノロジーアート」のアーティストたちもそうです。どの作品にも「問い」があり、その作品を作ったアーティストたちの動機は「作りたいから作った」しかありません。誤解してほしくないのは、アーティストが「作りたいから作った」としても、その作品は決して独善的なものではないということです。アーティストが作品に込める「問い」は社会から生まれたものにほかなりません。社会からつかみ出した独自の「問い」を独自の方法で提示したのがアート作品なのです。

図1-1　アンディ・ウォーホル『ブリロボックス』1968年、ニューヨーク近代美術館

例えば、ウォーホルが『ブリロボックス』（図1-1）という米国の洗剤付き金属たわしが詰まったパッケージにそっくりなアート作品を作りましたが、それは日常で見るものも見方を変えればアート作品に置き換えることができるという、それまでの時代に欠けていたアート的な探究心への問いなのです。

アーティストたちは社会から「問い」をつかみ出

して社会に向けて投げかけます。この「問い」が洗練されているほどに、社会は鋭く反応します。「はじめに」にも書きましたが、バンクシーのアート活動にも「問い」があり、その「問い」が洗練されているからこそ、社会的に大きな話題になったのです。

このようなアーティストたちの問いは、ときに社会を変えるきっかけを与え、ときに社会の未来を作る流れを生み出すこともあります。アートは社会に問いかけながら、その未来を作り出すのです。実際、近年では未来そのものを問うアーティストも現れています。

未来への不安が強まる現代社会

「人工知能（ＡＩ）が人間の仕事を奪う」——。近年、このような話をよく聞くようになりました。本当にそんな時代が来るのでしょうか。本当であれば、いつからそうなるのでしょうか。奪われやすい仕事や奪われにくい仕事といったものはあるのでしょうか。いろいろな方がいろいろなことを言うので、話を聞けば聞くほど、調べれば調べるほど、本を読めば読むほどに分からなくなってきます。

実際のところ、未来がどうなるかは誰にも分からないでしょう。ただ、ＡＩのテクノロジーの進展はとどまることがなく、ニュースなどで「ＡＩの技術でこれも自動でできるようになりました」などと聞く度に、どうしても心が「ざわっ」と揺れて、「自分の仕事がコンピューターに奪われるのか」「人の心はコンピューターに読まれてしまうのか」「一部の企業が優れたコンピューター技術を独占したらどうなるのか」などと、漠然とした不安を抱《いだ》いたりするものです。

　科学技術は私たちの生活を便利にしてくれます。しかし、科学者や技術者は、科学の進展や新しい技術の可能性を語ってはくれますが、それが作り出す未来社会がどんなものなのかは示しません。素人の私たちにとって科学技術が進展した先に現れる未来社会をイメージすることは難しく、どうしても不安や恐怖から負の印象を抱きやすくなります。

　では、どうすればこの漠然とした不安や恐怖をぬぐい去ることができるのか。それは未来社会に対する明確なイメージを持つことです。このイメージを明確につかむことができれば、現在と未来を一つの線で結ぶことができ、物事をクリアに考えることができるようになります。しかし、科学者や技術者は未来社会のイメージの提示をほとんどできません。それは彼らの仕事ではないからです。しかし、この問題を解決できる人たちがいます。アーティストです。

古来、アーティストは見えないものを見えるようにするような役割を社会の中で担ってきました。例えば宗教の世界では、古い時代から神や仏の世界が絵によって描き出されてきました。ルネサンス以後の近代でも、西洋では自然美や人間美が描き出されたり、個人の自由を象徴するようなロマンが表現されたり、その反動で現実を直視する写実主義が生まれたりしました。あるいは、光のきらめきをとらえようとする印象派が生まれたり、人間の感情を前面に出すムンクのような表現主義が出てきたり、夢の世界のような風景を描くシュルレアリスムのアーティストが登場したり、また独自の方法で現実の三次元の世界を二次元の絵に落とし込むピカソを代表とするキュビズムが現れたりしました。アーティストたちは、その時代や社会の中で、見たくても見えないものを描き出してきたと言えると私は思っています。

現代において、見たくても見えないものとは何でしょうか。その一つは、科学技術が作り出すはずの近未来の世界ではないかと思います。実際、その世界をアートで見えるようにしようとしているアーティストたちがいて、彼ら彼女らが作り出す作品は現代の私たちにさまざまな示唆を与えてくれます。アートの分類では「サイエンスアート」「テクノロジーアート」「バイオアート」などと呼ばれる領域で、その注目度は世界的に高まりつつあります。私は、この領域のアーティストが次世代のアートを担うと思っています。

これらのアーティストたちに共通しているのは、未来についての「問い」を私たちに投げかけながら、常識を揺さぶったり、今までにない経験をさせたりするところです。一見、不安をあおる作品に思えるのですが、その作品の前にたたずむと、見えなかった未来や新たな可能性に気付かされます。私は、これから紹介するアーティストたちの作品を見て、安心したというか、未来が怖くなくなりました。

人は、見えないものには不安や恐怖を抱きますが、見えればそのような感情はあまり起きません。鑑賞者がアーティストたちの作り出す未来の可能性を明確に感じることができれば、それはきっとビジネスでも役立つし、これからどうやって生きていくかを考えるときにも役立つはずだと私は思います。

長谷川愛――人口問題、食糧問題、環境問題への問い

最初に紹介したいのは長谷川愛さんと福原志保さんの二人です。二人とも「バイオアート」のアーティストであり、その作品は世界的にトップレベルです。

まず、長谷川愛さんについて話したいと思います。彼女は２０２１年現在、自治医科大学

と京都工芸繊維大学で特任研究員をされています。

この方の作品を初めて見たのは、東京の六本木にある森美術館で開かれた「六本木クロッシング２０１６展」（２０１６年）でした。当時、私は長谷川愛さんのことを知らなかったのですが、その展覧会で彼女の作品を見て、興味深い作品を作る人がいるなという印象を強く持ちました。

その後、私は日本で初めてのアート＆サイエンス専門のギャラリー「art & science gallery lab AXIOM」を開設しました。２０１６年のことです。これまでずっとアートシーンを見てきて、これからの新しい流れの一つとして、アートとサイエンス・テクノロジーとの融合が必須だと確信したからです。別の言い方をすると、サイエンス・テクノロジーの進展で、現代社会では新たなサービスや製品などが生まれ、表現の世界でもさまざまな試みが増え、その社会変化の中で「アートとは何か？」という問いが確実に強まっていると感じたのです。

このＡＸＩＯＭで最初に取り上げたアーティストは、後ほど紹介する脇田玲《あきら》さんでした。この脇田さんから長谷川さんを紹介いただき、このギャラリーで彼女の展覧会を２０１７年に開きました。展示した作品には代表作となっている『Second Annunciation』もありました。これは、人間の女性が水の中でイルカを出産している（ような）シーンが写された映像や、女性の子宮の中にイルカの胎児がいるような立体作品など、複数の作品で構成されています。

作品タイトルを和訳すれば「第二受胎告知」です。“Annunciation”は、処女マリアに大天使ガブリエルがキリストの受胎を告知する絵画の英語タイトルでもあり、長谷川さんは、この作品を通して、科学技術の発展により性交を介せずに従来とは異なる方法で人類が子どもや家族、他の種の生き物を生み出す未来を示したのです。言い換えると、彼女は「産むとは何か」「家族とは何か」「子どもとは何か」といった「問い」を鑑賞者あるいは社会に投げかけ、人類がこれまで当然としていた考え方を大きく揺さぶろうとしているのです。

まずは、その長谷川さんの作品の一つである『I Wanna Deliver A Dolphin…』（私はイルカを産みたい…）を本書の口絵に掲載しましたので、ご覧ください（口絵1）。

人を含むほ乳類は、遺伝子を次世代に渡す方法として子どもを産み育てます。出産と子育ては遺伝的に仕向けられているとも言えるのかもしれません。しかし、人はその数をあまりに多く増やしてしまい、生態系や食物連鎖のバランスが決定的に崩れそうにもなっています。今後、深刻な食糧不足が起きるのも時間の問題だと言われています。人口過剰、そして人にとって不都合な方向に変化していく環境によって、もはや人類はこれ以上子どもを産み育てることが難しくなっていると言えるでしょう。

この作品は、世界の現状を踏まえて、人類はこれ以上数を増やすのではなく、未来では絶滅の危機にある種（例えばマグロやイルカなど）を代理出産すればいいのではないかと提案しているのです。そうなれば子どもを産みたいという欲求と「おいしいものを食べたい」、あるいは「この動物を守りたい」という欲求を同時に満たしながら、食糧問題や環境問題を解決できるのではないかというわけです。そして、現実的にこの出産が可能であることも示し、社会的な議論のきっかけも提示しています。

長谷川さんが示した未来は、荒唐無稽なものではありません。彼女は、岐阜県が２００１年に開学した大学院大学「情報科学芸術大学院大学（ＩＡＭＡＳ）」を出て、英国のロンドンにある「ロイヤル・カレッジ・オブ・アート（ＲＣＡ）」などでメディアアートやデザインを学び、米国のマサチューセッツ工科大学の「ＭＩＴメディアラボ」でMaster of Scienceの学位を修了した方です。長谷川さんは根拠を持ってアート作品を作り、未来社会に関わる鋭い「問い」を投げかけているのです。

同性カップルから生まれた子どもの風景

長谷川さんの代表作の一つで、『(不)可能な子供』という作品があります。これも「家族とは何か」という「問い」を投げかけている作品です（この作品は口絵に掲載していませんので、興味のある方はインターネットなどで調べてみてください）。

この作品（デジタルプリント写真）の中には４人の人間がいますが、女性しかいません。よく見ると少し違和感があります。この写真には父親らしき男性はいませんが、４人には遺伝的なつながりがあり、いわゆる〝血のつながった家族〟（という想定）です。二人の大人は実在の同性カップルで、二人の子どもたちはこの同性カップルから誕生した実子。もちろん、現代ではまだ同性カップルの遺伝子を受け継ぐ「実子」を誕生させることはできませんが、長谷川さんは同性カップルの遺伝情報を実際に用いたＡＩのマシーンラーニング（機械学習）で子どもたちの顔を作り出しました。

だから、安易に他人の子どもを連れてきて撮影したわけではなく、もしかしたら未来の社会では本当にあり得るかもしれないという「家族写真」になっているのです。将来、人工多能性幹細胞（ｉＰＳ細胞）などの研究によって同性カップルの間でも遺伝子を受け継ぐ「実子」を作ることが本当に可能になるかもしれません。

この作品は、社会的な反響も大きく、文化庁メディア芸術祭（第19回）のアート部門で優秀賞を受賞しました。彼女の作品は世界各国で展示されていて、受賞作品も多々あります。

私は長谷川さんの作品を見ているうちに、今の人類の生きる形が果たして本当に正しいのかどうかと疑問に思うようになりました。今の科学が遺伝子など生物についての研究をこのまま進めれば、不妊や不老などの問題の解決や、不死や同性カップルによる子どもの誕生など、これまでできなかったことも可能になるかもしれません。果たして、そのような未来社会は正しいのかどうか。また、今の社会はそもそも正しいのかどうか。

素晴らしいアート作品がいつもそうであるように、長谷川さんの作品も鑑賞者を一時的に混乱させて、今まで持ってきた価値や思考の基準を分からなくさせます。なぜ人がイルカの子どもを産むのか。どうして人類が絶滅危惧種の代理出産をするのか。まったく突拍子もない発想であり、あり得ないような未来像ではあるのですが、科学的な根拠を踏まえた画像や映像、立体物などでその作り込まれた未来像を見せられると、「もしかしたら……」と思えてきます。そこが長谷川さんの力であり、アートとして成立するポイントになっています。

科学者や技術者には、長谷川さんが作り出す美しくて、どこかロマンチックな未来社会のワンシーンを作ることはできないと思います。私たちは、長谷川愛というアーティストを通して未来に対するイメージを得たり、未来をより具体的に思い描けるようになるのです。すると、未来に対する漠然とした不安がなくなり、問題点が明確になり、それについて冷静に考えることができるようにもなっていきます。

福原志保――バーチャルとリアルの境目とは何か

次に紹介したいのは、長谷川愛さんと同じバイオアーティストの福原志保さんです。自身を含む３人のアーティストで「ＢＣＬ」という集団を作って活動しています。「ＢＣＬ」の作品の特徴は、実際に遺伝子に手を加えるところです。代表作の『Biopresence』は、亡くなった人間のＤＮＡを樹木のＤＮＡの中に保存して、それを墓標、あるいは記念碑にしようという作品です。英国の美術大学「ロイヤル・カレッジ・オブ・アート」の同級生だったゲオルク・トレメルとともに発表しました（２００４年）。

この作品では、樹木が本来的に持つ遺伝子には影響を与えないようにヒトのＤＮＡを入れ込みます。これは、求める形質が現れるように遺伝子に手を加える「遺伝子組み換え食品」

とは逆の発想です。遺伝的な影響はないのですが、その樹木の中には愛する故人のＤＮＡがある。そう思うと、遺族はこの樹木に特別な思いを抱くことができます。

もし日本でこれと同じことをサクラの樹木にしたら、その木が毎年春になって美しい花を咲かせる度に遺族の心は和むかもしれません。福原さんたちは、この作品について英国で精力的にプレゼンテーションをすると、倫理的な面も含めて大きな反響を呼びました。命や死のあり方について根本的な問いを社会に投げかけることができたのです。

福原さんらＢＣＬは、その後も遺伝に関わる作品を作り続けました。例えば、デスクトップミュージック用のボーカル音源であり、インターネット上のキャラクターでもある「初音ミク」をモチーフにした作品があります。それは、その外見上の特徴を発現するように記した遺伝子を作り、ｉＰＳ細胞ベースの心筋細胞に組み入れたというものです。つまり、「初音ミクの人工心臓」と呼ぶべきものを作ったのです。

本来はデジタル技術が生み出したバーチャルな存在なのに、バイオテクノロジーを用いることで、現実の世界に飛び出させたわけです。ネット上には初音ミクの熱狂的なファンがいるのですが、この作品にリアルな初音ミクを感じるあまり、「この前で死にたい」と言い出す方もいたそうです。この作品にも、生とは何かという問いや、バーチャルとリアルの境目は何かという深い「問い」が潜んでいると思います。

このほか、日本の企業が開発した青いバラやカーネーションを自家増殖させたり、青から白に戻すという作品も作っていたりします（口絵2）。青いバラは、かつては「不可能」を意味するくらい、いくら品種改良しても作ることができませんでした。このメーカーはバイオテクノロジーで他の生物の青い花が持つ遺伝子をバラのＤＮＡに組み込んでうまく発現させて、花の色を青くしたのです。当然ながら、この技術についてメーカーは特許を取っています。

今、多くの野菜や園芸用の植物に関わる技術や改良された品種は、特許や法律で守られていて、企業が独占できるようになっています。苦労して開発したものが社会的に守られるのは合理的な面があります。しかし、植物という生物は本来的には自然のものであり、誰のものでもありません。それを企業が独占していいのかという疑問は残ります。そこで福原さんらは、売られている青いバラやカーネーションを買ってきて生物として持つ増殖力で自ら増えるようにしたり、この青いカーネーションの遺伝子に手を加えて元の白いカーネーションに戻したりするような活動をして、「この生物は誰のものなのか」という「問い」を社会に投げかけたのでしょう。

これから、遺伝子に関わる科学技術はますます進展するでしょう。もしかしたら、人間に関わるさまざまな生物は、優れた遺伝子を持つものだけが生き残ったり次世代に引き継がれたりするのかもしれません。あるいは、人間の社会に役立つように、いろいろな生物の遺伝子が組み換えられたり編集されたりするようになるかもしれません。それは、ヒトそのものの遺伝子も含まれるかもしれません。少なくとも、そんな未来への漠然とした不安を私たちはどこかで感じていたりもします。

福原さんらの作品は、そんな不安に輪郭線を与えてくれます。そして、バイオテクノロジーに人間性や自然性と呼ぶべきものを刻み込もうとしているようにも見えます。福原さんらは、現代社会の問題点を見事に表し、未来について深く考えさせるアーティストなのです。

バイオアートを牽引する二人が日本から現れたのはなぜか

長谷川さんも福原さんも、ほぼ同世代です。どうして日本人のこの二人が、次世代のアートシーンで中心の一つになりそうなバイオアートを牽引するようになったのか。何らかの必然的な理由があったのか、あるいは単なる偶然なのかは分かりません。

１９８０年代から「アルス・エレクトロニカ」というメディアアートの祭典が毎年オーストリアで開かれていましたが、日本ではこのようなテクノロジーアートやサイエンスアートは少し前まで認知されていませんでした。二人がアーティストの活動を始めた場所は海外でしたが、二人を育てた日本に創作の源泉につながる何かがあったのかもしれません。

例えば、現代アートシーンで活躍している日本人アーティストに村上隆さんがいます。マンガ、あるいはキャラクターを用いてアート作品を作るという作風の背景には日本のマンガ文化、あるいはキャラクター文化があると言えるでしょう。バイオアートのアーティストが日本で現れたという背景にも、何かしらの日本人の文化や生活があったように思います。

私から見ると、二人とも三つの要素を持っています。一つは、科学者あるいは研究者の視点があること。もう一つは、ＳＦ作家のような未来に対する想像力が卓越していること。三つ目は、どこかロマンチストな一面を持っていることです。そんな三つの要素が生まれやすい環境が日本にあったのかもしれません。

ただ、これはあくまで個人的な推察で、学術的によく研究すれば何かもっと深いものがあるのかもしれません。いずれにせよ、この二人の活動はこれまでのアートの流れから見ても画期的であり、アートの世界にとどまらず、彼女らの問いは、人類の未来をどう作るのかという意味で多くのヒントを提供してくれます。

「未来のヒント」を作るバイオアーティスト。科学者や技術者が見せることができない未来像を提示するアーティストたちから、私たちは多くのものを得ることができます。なぜなら、未来を知るということは現在をどのように生きればいいのか、どのような行動を取ればいいのか、あるいはこれからどのような問題に取り組むことになるのか、どのような価値観を作り出す必要があるのか、どのような表現や製品、サービスを新たに作り出す必要があるのかを知ることにもなるからです。今後、この二人のアーティストがどのような活動を展開していくのかは分かりませんが、私は注目していきたいと思っています。

脇田玲――「見えないもの」を可視化する

次に紹介する脇田玲さんは、まさにアーティストでありサイエンティストでもあるサイエンスアーティストです。脇田さんは第一線のアーティストでありながら、コンピューターサイエンスの専門家でもあります。慶應義塾大学の教授であり、「環境情報学部」の学部長も務めています（２０２１年６月現在）。この多才とも異才とも言える脇田さんとの出会いが、私とテクノロジーアートやサイエンスアートを結び付けました。

脇田さんの作品の特徴は、最先端の科学技術を使って目に見えないものを見せてくれるところです。コンピューターの技術を用いて、目の前にありながらも知覚できない自然界の情報を可視化することで、見えない世界を見える世界へと変えようと試みる次世代アーティストと言ってもいいでしょう。例えば、コンピューターである計算式を組み込んだプログラムを作り、そこに空間の中を流れる気流のデータを入力することで、空気の流れを全体的にビジュアル化するのです。

口絵に載せた『Ryoanji / Parking』（口絵3）は、ヴィジュアライゼーションとシミュレーションを用いてこの世界を再解釈するための作品です。京都にある龍安寺の石庭の絶妙にデザインされた〝間〟が作り出す緊張や緩みと、まったくデザインされていないと考えられる単なる駐車場を俯瞰した風景が、両者の相違と類似に着目して可視化されています。上が龍安寺の石庭で、下がよくある駐車場です。どちらも空気の流れをシミュレーションして上からコンピューターで見えるようにしているのですが、この二つの像を見て、どちらを美しいと感じるでしょうか。

ものの感じ方や美しいと思う気持ちは主観的なものなので、どちらが正しいとは言えませんが、私は上の龍安寺のほうに心地よさを感じます。龍安寺の石庭は、石と苔だけのシンプルな枯山水式庭園であり、池や流れる遣水《やりみず》などの水を用いず、石や砂、そして地形などで山水の風景を表現しています。多くの人がこの庭に何か特別な魅力を覚えます。私たちは、実はこのような目には見えない空気の流れと水の流れを無意識に感じ取っているのかもしれません。

私たちの身の回りには目には見えないものがたくさんあります。その一つが空気です。空気がまったく動かないということはありません。部屋の中でも、たいていは空気がゆっくりと動いています。今、私が閉鎖的な空間の中で片手を上げれば、そこにあった空気は移動して、それが付近の空気にも影響して複雑な動きが生じます。もしかしたら、私が窓を開けるだけで大量の空気が流入して、ナイアガラの滝のような美しい情景が生じているのかもしれません。

脇田さんが私に言った言葉が今でも忘れられません。「日常、私たちがまったく気にしていない風景の中には、これまで見たことがないような美しい景色が存在している」。私は長くアートの世界にいますが、目に見えないものを作品にする脇田さんのコンセプトが、最初はまったく理解できませんでした。しかし、よく考えてみれば、アートはいつも見えないものを見ようとしてきた歴史でもあるのです。

先ほども少し触れましたが、これまでさまざまなアーティストが見えないものに興味を持って、それを見せようとしてきました。その挑戦はアートの本流の一つに違いないでしょう。例えば、レンブラントは、画面に描く人物たちの一部にスポットライトのような強い光を当て、ダイナミックな明暗対比を作り出すことで、描かれた現場や状況の雰囲気や空気感をドラマティックなまでに伝えることに成功しました（図1‐2、次ページ）。レンブラントは、見えるものを描きながら、見えないものも伝えようとしたアーティストです。

また、私が脇田さんの『Ryoanji / Parking』を最初に見たとき、ニューヨークの近代美術館にあるゴッホの『星月夜』を思い出しました。月と星が輝く夜空に描かれたグルグルしたものが脇田さんの作品から連想されたのです（図1‐3、同）。あの〝グルグル〟は、ゴッホが自身の内在的世界を通して見た、夜の空気の流れなのでしょう。ただ、その〝グルグル〟はまったくのでたらめではなく、本当の空気の流れに近いものなのかもしれません。時が流れて、サイエンスやテクノロジーの進展で、私たちは今ゴッホが内在的に見ていた星空を現実の風景として見ようとしているのかもしれないのです。

本題から少しそれますが、以前、音楽家の渋谷慶一郎さんが面白いことを言っていました。

(上) 図1-2　レンブラント『夜警』1642年　アムステルダム国立美術館
(下) 図1-3　フィンセント・ファン・ゴッホ『星月夜』1889年、ニューヨーク近代美術館

人は聞こえないような音でも感じている、と。かすかに薄く鳴っている音楽でも、それを意識下で感じ取る力が人にあるのなら、そのような領域で作る新しい音楽もあり得るのではないか。渋谷さんはそう考えて新しい音楽の形を作ろうとしているようです。

今後、見えないものや聞こえないものを感じ取っていくような新しいアートジャンルが立ち現れるかもしれません。そのとき、私たちはどのような作品と出会えるのでしょうか。そんな想像をすると楽しいですし、そんな想像が未来を作っていくのではないかとも思います。

落合陽一――テクノロジーで作るプリミティブな世界

メディアアーティストの落合陽一さんをご存じの方は多いと思います。テレビやインターネットなどのメディアによく登場したり話題になったりするので、見たことがあるという人も多いのではないでしょうか。落合さんも脇田さんと同様に、アーティストでありながらサイエンティストでもあるサイエンスアーティストです。アート活動を展開すると同時に、筑波大学で准教授も務め、「計算機自然（Digital Nature）」をテーマにした研究などをしています。

彼がアート界で最初の本格的な個展を開いたのは私のギャラリーでした。その作品における特徴の一つは、他のサイエンスアーティストやテクノロジーアーティストと比べてテクノロジーを駆使しないことです。核心的なアイデアの部分だけは科学や技術を用いるのですが、それで表現するものは、どこかプリミティブというか原始的なところが多くあるのです。

例えば口絵に掲載した『Looking-Glass Time』（アリスの時間）（口絵4）は、時計とその前にあるレンズがセットとなり、円環状に整然と設置され、次々と時計が発光することで異なる時間がアニメーションとして連なって実在しない奇妙な時間（『鏡の国のアリス』の世界のような）を示す一つの時計が壁面に映し出されます。つまり、12の物質的な時計で構成される一つの不思議な〝映像上の時計〟を作り出すのです。

通常、映像はフィルムやデジタルデータなどの処理されたもので作り出されますが、落合さんは物質から直接に映像を作り出します。そして、そこにメディアや視覚、さらに時間についての「問い」を含ませます。

この作品のそばにいると、インスタレーションから発せられる光と影によって空間をつなぎ、鑑賞者や空間自体も映像の一部として、時間的、空間的に変換されていくような印象を持ちます。さらに、ファンタジックな雰囲気の中に懐かしさのようなものも感じ、過去・現在・未来の時間が一つの世界観の中でランダムに表示されて、時間が一つの方向に進んでいるのかどうかも分からなくなってくる不思議さを覚えます。

落合さんの場合、作品そのものは単純なものではあると言えます。ただ、作品の組み立て方やコンセプトの作り方に、テクノロジストやサイエンティストの思考が絶妙に組み込まれていて、それでいて人間の根源を問うようなものを作る。これはアートの手法としてはとても新しいと私は感じています。

豊富なアイデアを持つアーティスト

落合さんと初めて会ったとき、彼はまだ本格的なアート活動を始めたばかりでした。著書もそれほど多くは出ていないころで、メディア出演も今ほどは多くありませんでした。彼の代表的な発明「超指向性スピーカー」を用いた作品を制作していた時期で、創作活動をしながら自分のアートの方向性を模索しているように見えました。彼に作品を見せてもらいながら、いろいろな話を聞かせてもらったのですが、いろんな意味で会ったことのないタイプの人でした。

話していると、とにかく言葉が尽きなくて、自分の作品の説明も非常にうまかったという記憶があります。思考の幅もとても広く、最先端のテクノロジーから人間性の本質に関わるようなことまで、どこまでも話が広がっていくのです。彼の秀逸なところは、その出てきた自分の言葉を、言いっ放しではなく、話しながらきちんと編集できるところでした。幅広い思考を構造化する力も持っていると思いました。

また、彼が実際にやってきたことを聞いて、優れた実行力もあると思いました。アーティストというのは、いわゆる才能やアイデアだけでなく、突破力みたいなものが必要になります。無名の新人が頭角を現すにはこの突破力が不可欠で、彼にはこれがあると直感しました。作品のアイデアをたくさん持っていたことも印象的でした。それまで付き合っていたアーティストの中で、おそらく一番多く作品のアイデアを持っていると思いました。彼はこれからさらにたくさんの作品を作り出すでしょうし、サイエンスやテクノロジーを用いて人間の根源的な問いを私たちに投げかけ続けてくれると思います。落合さんの作品が持つアート性に私は期待しないではいられません。

真鍋大度——最先端のテクノロジーで人間性を創造する

真鍋大度《だいと》さんの名を知っている方は多くないかもしれません。ただ、２０１６年８月に開催されたリオオリンピックの閉会式で日本のパート（フラッグハンドオーバーセレモニー）のテクニカルディレクターを務めた人と言えば、思い当たる方は多いのではないでしょうか。あるいは音楽グループ「Perfume」の映像作品やライブなどで演出をしている人と言えば、もっと思い当たる方が多いかもしれません。

真鍋さんのコンピュータープログラミングを用いた作品やパフォーマンスは、どれも今までになかった新しい表現手法であり、人間と技術の新しい融合のあり方を提示しています。

この真鍋さんも、アートとサイエンスあるいはテクノロジーの両方の才能を持つ方です。子どものころはテレビゲームが大好きで、小学校の高学年でプログラミングが独学でできるようになったという伝説を持っています。東京理科大学で数学を学び、大手の電機メーカーに就職。その後、「国際情報科学芸術大学院大学（ＩＡＭＡＳ）」で学び、学生時代の友人たちとエンジニア集団「ライゾマティクス」を立ち上げました。

彼が、アートの最前線のトップランナーであることは、東京都現代美術館で開催された展覧会『ライゾマティクス_マルティプレックス』（２０２１年３月20日～６月22日）を見ても分かります。この美術館は日本の現代美術のシンボル的な存在で、そこがライゾマティクスの個展を開いたのです。企画した中心人物は、日本を代表するキュレーターの長谷川祐子さんで、私もよく存じ上げている方です。実は長谷川さんは、このライゾマティクスの展覧会を最後に、東京都現代美術館を退館しました。

私は彼女が最後の展覧会に何を企画するのか興味を持っていたのですが、ライゾマティクスを選んだと知ったときは、「やっぱりそうきたか」と心のどこかで我が意を得たような気もしました。おそらく彼女は「現代美術」の向こう側にある未来の美術につながるものを最後に扱おうとしたのだと思います。「アートのバトンをちゃんと未来に渡したよ」という長谷川さんのメッセージがこの展覧会から聞こえてくるような気がしました。

アートは今、サイエンスやテクノロジーを飲み込んで、大きく変わろうとしている変革期にいるのだと思います。おそらく、そう感じるのは私だけではないでしょう。真鍋大度は、まさにその変革期を作り出している代表的なアーティストの一人です。

真鍋さんが作る作品の特徴の一つは、テクノロジーを通して人の体の潜在能力や、人に秘められた何かを引き出そうとしているところです。ダンサーの身体表現や自分自身の脳活動、ロボットなどをモチーフに、最先端の技術を使いながら「人体表現はどこまで可能なのか」あるいは「そもそも生身の人間とは何か」というような「問い」を社会に投げかけているのだと私には思えます。

アートの歴史を振り返ったとき、人体に深く関わって作品作りをするアーティストと言えば、レオナルド・ダ・ヴィンチが代表だと思います。もしかしたら、真鍋さんはレオナルド・ダ・ヴィンチ以来のアーティストになるかもしれず、そうなれば世界のアートシーンを塗り変える可能性があります。

神経細胞の活動と人工の光をリンクさせる

私は、この真鍋さんに作品を制作してほしいとお願いしたことがあります。私が理事長を務める公益財団法人「清春芸術村」（山梨県北杜市）でアートフェスティバル「HOKUTO ART PROGRAM ed.0」を企画したとき、複数のアーティストに新作を制作してもらい、ここで発表していただいたのですが、最初に声をかけたのが真鍋さんでした。

話が少し脱線してしまうのですが、私たちの芸術施設には、世界的に知られる建築家の安藤忠雄さんに設計いただいた『光の美術館』があります（図1‐4、次ページ）。

この建物の中には人工照明がなく、天窓のような採光部から自然光だけを取り入れて、内部を照らし出します。安藤さんはこの建物を設計するにあたって、「おそらくアーティストは、アトリエでは自然光で作品を作っているはずだから、自然光のみの美術館をやったらいいんじゃないか」と提案してくださいまして、この光の美術館が生まれました。

完成したとき、その建物の中に入ると、太陽の光がまるでアート作品のようでした。日の

図1-4　安藤忠雄『光の美術館』2011年
清春芸術村

出から日暮れまで、天窓から差し込まれた自然光が日時計のように移ろい、それが内部の造形を照らし、反射して、なんとも言えない影の形を刻一刻と変えていきます。まるで、建築が息をしているような感じさえして、私は「生きている美術館」だと思いました。

通常、美術館の光は人工照明です。作品保護の観点から直射日光を避けたいからです。また、光の量や形が変わると作品の見え方が変わってしまうので、ほとんどの美術館は自然光を入れないようにしています。しかし、この『光の美術館』はあえて逆のことをしました。そこから新たなアート鑑賞の可能性が開かれると考えたからです。

この建物は、まさに私たちが考える新しい時代にふさわしい美術館でした。ただ、問題が生じてしまいました。それは、この建物の力があまりに強いので、この空間にフィットするアート作品が限られてしまったのです。表現に強度のようなものがないと、この空間が持っている力と釣り合わない。そこで、この生きている美術館にもっと生命力を与えるような、もっと大きく息をしているような、この『光の美術館』の力強さに挑むような作品を新たに作り出したくて、真鍋さんに声をかけたのでした。

相談してみると、真鍋さんもすぐに私の意図を理解してくれました。そして、映像作品ではなく、光を使って『光の美術館』を呼吸させるようなインスタレーションのアイデアを提案してくれました。それが口絵に掲載した作品『critical line - version 0』です（口絵5）。

これは、真鍋さんが自然と人工物との境目に着目した、光と音によるインスタレーションです。具体的に言いますと、日が暮れて太陽光が消えた後、建物の内部のいろいろなところに設置された複数のライトがコンピューターのプログラミングで制御されて直線的に発光します。そして、その光が内部を照らしたり反射したりして、自然光では出ない光や影の形を描き出します。同時に、採光部から光が飛び出して、さまざまな角度でリズミカルな光線が夜空に現れては消えるのです。また、それに合わせて音も出ます。

この光と音は、ソフトウェアや人間によるオペレーションでは作り出せない新しい視覚表現を獲得するために、外部からの電気刺激に対応する分散培養細胞の神経活動データが持つ時空間的パターンを解析、変換して生成しています。つまり、光や音が発するタイミングは、人為的なパターンではないということです。真鍋さんは、この光の美術館に神経を通わせて、まるで生き物のように光を発するというインスタレーションを作り上げたのでした。私はその光景を見たとき、思わず息をのみました。建物が本当に呼吸をしているようなリズムで光と音を発していたからです。暗闇の中で『光の美術館』が動き出すのではないかと思ったほどです。

　光をいかに扱い、いかに表すか——。これは歴史上、数々のアーティストが挑んできたテーマです。例えば、印象派は「光の画家たち」と言われ、新しい方法で光を絵の中に取り込んだところに画期性がありました。ただ、これまでのアーティストが挑んできた光はほとんどが自然光です。真鍋大度さんの画期性の一つは、人工的な光を用いることでアートにとって不可欠な光を作り出そうとしているところです。当たり前ですが、新しいアートを作り出せるアーティストが、まさにその時代の先端を行くアーティストにほかなりません。真鍋大度さんは、間違いなくその一人に入ることでしょう。

アートの概念は拡張する

アートとサイエンス・テクノロジー。こう書くと、それぞれが両極端に位置するものに思えます。サイエンスは、自然などから問いを見つけ出して答えを探究していく活動だと言えます。テクノロジーも、その科学の知見を応用したり活用したりして、社会的な課題の解を見つけていく活動だと言えます。ここに、アートとの大きな違いがあります。アートは答えを求めませんし、社会的な問題を解決しようともしません。

ただ、少し見方を変えると、サイエンスとアートは、答えの求め方は違うのですが、問いを見つけ出すという点ではとても似ています。サイエンスもアートも、問いが尽きるということはありません。アーティストもサイエンティストも、永遠に問いを持って活動する人という意味では同種です。

テクノロジーも、社会に対して何かを作るという意味ではアートと同じ活動であり、テクノロジストもアーティストも、作ったものを社会に投げかけるという点ではやはりよく似ています。実は、アートとサイエンス・テクノロジーはとても近いものでもあります。私はサイエンスアーティストやテクノロジーアーティストたちと一緒に展覧会を作ってきた経験が何度もあるのですが、彼らの創作に向かう姿勢は、どこか科学者や技術者の研究や開発に向かう姿勢に似ているように思います。

このように、両極端に見えるアートとサイエンス・テクノロジーですが、今後、アートの世界で互いに強く結び付くのではないかと私は確信しています。そして、アートの概念というものが拡張して、今までにない幅広のスケールを出していくようにも予想しています。猪《いの》子《こ》寿《とし》之《ゆき》さんが代表を務める「チームラボ」も、その流れで生まれてきた表現者集団なのかもしれません。彼らはデジタル技術と創造性を結び付けることを日本で最も成功させた表現者集団であり、今後も数多くの話題を提供していくでしょう。ただ、私は彼らの作品に対しては「問い」のようなものをあまり感じないので、アートというよりはエンターテインメントという気がしています。

この章の初めのほうで、現代社会の少なくない人が、今のテクノロジーの進展に対して漠然とした不安を抱えていると私は指摘しました。おそらく、その不安は未知だから生じるのです。未知であり、自分の未来に強い影響力を持ち得て、しかもその影響力を誰かが独占するかもしれないと思うからこそ、漠然とした恐怖を感じるのです。サイエンスアートやテクノロジーアート、バイオアートのアーティストたちは、その未知に対して明確なイメージを提示してみせて、未来の科学技術社会における人間性とは何かと問いかけます。

言い換えると、これらのアーティストの作品に触れれば、未来に対する怖さが消え、人間と科学技術の共存について前向きに考えることができるようになります。科学技術がますます影響力を持つ社会になるからこそ、アートが必要な社会になると私は思っていますし、その社会的な要請の中で、アートは拡張していくとも思っています。また、私たちはその拡張したアートに触れることで、未来につながる何らかの示唆を得ることができるでしょうし、それがやがて「アート思考」になるのだとも思います。

第二章

「現代アート」の終焉

「物」ではなく「仕組み」が価値を持つ

アートとは「問い」である。これが私の基本的なアート観です。アーティストは「問い」を、見る者に、あるいは社会に投げかけます。この「問い」をアート作品から感じられるようになると、アート鑑賞がもっと楽しくなります。自分なりの解釈で構いませんので、アート作品から「問い」を自由に感じてみましょう。その「問い」を感じる力こそが、いわゆる「アート思考」につながるのだと思います。

この章では、現代のアートシーンで活躍するアーティストの中でも、大きな「問い」を投げかける二人を紹介したいと思います。一人は、第一章でも触れたバンクシーです。もう一人は、ピープルというデジタルアーティストです。

バンクシーがアートシーンをにぎわすようになって、私はアート作品の価値のあり方が変わったと思いました。うまく言葉にできないのですが、作品の持つ強度より、アート作品やアート活動が生み出す「仕組み」のほうに、より大きな価値が見いだされるようになったように感じるのです。その価値というのは、アート的な面と経済的な面の両方を含みます。

前述しましたが、バンクシーはアートの新しい仕組みを作ることで高く評価されてきたアーティストです。社会を風刺するような絵をストリートでサッと描くような作品などを通して、さまざまな「問い」を社会に投げかけては社会の耳目《じもく》を集めていきます。

おそらく、彼の「問い」の一つはアートの所有に関わる問題についてでしょう。分かりやすく言うと、アート作品に対する所有欲への対抗です。だから、彼は公共の場であるストリートの壁に絵を描くのです。「売るために作るわけではない」というバンクシーのメッセージがそこにはあります。

また「はじめに」で触れましたが、オークション会場で自分の作品を自らリモート操作で切り刻んだのも、「アート作品に高い価格を付けて売り買いすることで人間は何を手に入れることができるのか？」という挑発的なメッセージを、コレクターたちや社会に投げかけたかったのだと思います。

しかし、バンクシーは本気でアート作品の所有に対して反抗しているのではなく、そのような社会的なメッセージを発することで自分と作品への評価を高めようとする意図があるように感じます。正直、少しあざとさを感じはしますが、このような表現をするアーティストは彼以前にはいなかったと言っていいと思いますし、そこに彼の画期性があると思います。

バンクシーの卓越したところは、社会に対して、彼が発する「問い」の問題意識を見事にコミットさせるところです。そこが巧みだからこそ、彼の作品や活動は社会から注目されやすいわけです。多くのアーティストが発する「問い」は分かりづらいこともあるのですが、バンクシーの「問い」はいつも明瞭です。

コロナ禍で医療関係者が献身的な働きをしてくれたときは、子どもが看護師の人形を持って遊び、ヒーローの人形はゴミ箱に捨てられている絵を描きました。その社会的なメッセージは瞬時に伝わりやすく、その絵の作風はシンプルでありながらも、どこかエッジの効いた感じもあって、広い世代にその印象を深く残していきます。

ただ、彼の作風はそれほど新しいものではありません。同じような作風を持っていたアーティストはかつていました。それでも、バンクシーが画期的なのは「風刺＋ストリート」という表現方法で社会をうまく巻き込んだところでしょう。このようなアーティストはそれまでいなかったという意味で、バンクシーの作品は確かにアート的な価値を持つと言えます。

また彼はアートマーケットに対しても強く意識していて、ときに意図的かつ直接的に刺激していますが、このような手法を取るアーティストもかつてはいませんでした。もちろん、私はバンクシーと会って話したこともないので、実際のところは分かりません。ただ、彼の言動を見ていると、そう感じずにはいられません。

このバンクシーのやり方が良いのか悪いのかは分かりませんが、少なくともアートマーケットでは高く評価されて、バンクシーの作品には高い値が付きます。この経済的な評価は、その作風ではなく、おそらくバンクシーが作り出した社会的な作品作りの仕組みに対するものです。バンクシーの作品の背景にある新しいアートの仕組みに価値が見いだされているのです。またバンクシーもそこを意識して作品を作って活動してきたのでしょう。

このバンクシーの作品や活動から私たちが学べることは多々あると思います。例えば、現代は、価値が「物」からではなく、仕組みや構造、システムから生み出されるようになっているということです。私たちがよく買い物をするアマゾンも、その画期性はあのネットショッピングの仕組みにあります。ウーバーなどのシェアリングサービスもフェイスブックなどのSNSも、その仕組みにイノベーションの価値があります。そして、バンクシーも新しいアートの仕組みを作り出して、その仕組みが評価されているのです。

いかに社会に刺激を与えて、自分や自分が作り出すものの評価を高めるような仕組みを作るか。今後、新たな仕事や活動を始めるときは、彼のように「仕組み」を意識したものづくりや活動をするといいのかもしれません。

ビープル――作品価格75億円の衝撃

米国出身のビープルというアーティストをご存じでしょうか。２０２１年３月、デジタルアーティストのビープル（本名はマイク・ウィンケルマン）の作品『Everydays - The First 5000 Days』が約６９３５万ドル（約75億円）で落札されました。『美術手帖』のウェブサイトの記事によれば、この価格は現存するアーティストの作品ではオークション記録第３位であり、デジタルアート作品では過去最高額となったそうです。また、主要オークションハウスが「ビープル」の作品を販売するのは初めてだったとのことです。

この作品はデジタル作品です。アーティストが１日１枚ずつ、13年以上にわたって撮影した５０００枚の画像がコラージュされています。もちろん、デジタル作品なので、物質的なものは何も存在しません。そこにあるのはデジタルデータだけです。そのデータ上でのみ存立する作品が約75億円で買われたのです。私はこのニュースを知ったとき、アートシーンが新しい時代に入ったと感じました。

この『Everydays - The First 5000 Days』の作品の特徴の一つは、ＮＦＴ（Non-Fungible Token）にひも付けられ、デジタル資産として取り引きできることです。ＮＦＴとは、デジタルデータに鑑定書を付けるような技術で、ビットコインなどの暗号資産（仮想通貨）と同じようにブロックチェーン上で発行されたり取り引きされたりします。ブロックチェーンとは、分散型ネットワークを作っている複数のコンピューターが、暗号技術を使いながら、デジタルデータを相互に検証できるようにして、正しい記録をブロックごとにチェーンのように蓄積することでコピーや改ざんをしにくくする技術です。このブロックチェーン上のデータを不正に扱うことは不可能に近いと言われていて、この技術が確立したことで、デジタルデータに資産価値を持たせることができるようになりました。

少し前までは、デジタルデータはコピーや改ざんがされやすいので、アーティストがコンピューターで作品を作っても、アートマーケットではなかなか高く評価されませんでした。しかし、ブロックチェーンの技術が誕生したことで、仮想通貨だけでなく、デジタルアートに対しても「このデータが本物です」と鑑定書（ＮＦＴ）を付けることができるようになり、資産価値を持たせられるようになったのです。

アート作品は、オリジナルに特別な価値があります。本物そっくりのコピー作品があっても、その価値がオリジナルを超えることはありません。なぜなら、オリジナル作品だけが持てる背景がアート的に重要だからです。作品の出来栄えだけでなく、アーティストがどのような時代で、どのようにその作品を制作したのかという文脈のような背景もアート作品の重要な要素になります。もしかしたら、コピー作品にもコピーした人やコピーした背景があるかもしれませんが、それはアートの歴史においてはほとんど意味がありません。

ビープルの『Everydays - The First 5000 Days』に高値が付いたのは、デジタルのアート作品が物理的なアート作品と同様にオリジナルの背景を持つと社会的に認められたからです。また、このデジタル作品はＮＦＴとしてオンライン上で取り引きでき、さらに取り引きされる度にアーティストにお金が支払われる「追及権」のような新たな仕組みをデジタル技術で構築したことも、社会的に認められました。

この作品はアートの歴史において新たなページを開いた作品であると社会的に認識されたからこそ、歴史的な高値が付いたのです。社会がますますデジタル化していく中で、オリジナルであることが極めて重要なアートがしっかりと存在できるようになったということを示したからこそ、主要なオークションハウスに出品されて、実際に高額で落札されたわけです。

現代のセザンヌ

話を戻しましょう。

ビープルが画期的だったのは、オリジナルのデジタル作品を作り、それをＮＦＴにひも付けたことです。ビープルは、アート作品だけでなく、デジタル時代におけるアート作品の新しい作り方も生み出したのです。デジタルアート作品における資産価値の面だけではありません。デジタルアート作品の作り方やオンラインオークションのあり方、コレクションの仕方も含めたアート全体における新たなアートの可能性を切り開きました。ビープルは新しい時代にふさわしい新しいアートの仕組みを作り、『Everydays - The First 5000 Days』はその画期的な仕組みのシンボル的存在の作品だからこそ高値が付いたのです。おそらく、この作品を落札した人は、モニターに現れるアート作品ではなく、その新しいアートの可能性を生み出した仕組みに対して歴史的に大きな価値があると確信したのでしょう。

私も、あの作品には約75億円の価値が十分にあると思います。私から見ると、ビープルはセザンヌのような存在に感じます。ポール・セザンヌは19世紀後半から20世紀初めに活動したポスト印象派のアーティストで、その後に現れるピカソやマティスに大きな影響を与えたことでも知られ、「近代絵画の父」とも呼ばれています。セザンヌがいたからこそピカソらはキュビズムを生み出せたと言っても過言ではないでしょう。セザンヌは、20世紀に開花する近代絵画の扉を最初に開けたアーティストです。

現代でも、キュビズムにつながるセザンヌの最初の作品がオークションに出品されれば、70億円や80億円、それ以上の値が付くかもしれません。なぜなら、その作品の背景にはアートの歴史における重要な価値があるからです。その作品がセザンヌによって作られたことで、その後のアートの流れが生まれました。セザンヌがいたからピカソもいた。だから、そのセザンヌの最初の作品の価値も高まるわけです。

そのセザンヌの作品に匹敵する価値があのビープルの作品にもあったと言っても、言い過ぎではないと思います。今後、どのようなアーティストがデジタル上に現れるかは分かりませんが、そのアーティストはビープルの築いた仕組みを多かれ少なかれ利用するでしょう。

もしかしたら今後何十年、あるいは何百年も続くアートの仕組みを確立したのが、あのビープルの作品だったとなるかもしれません。今後、かつてのピカソのようなアーティストがデジタル上で現れても不思議ではありません。それが戯言《ざれごと》ではないことを、アートシーンがいつか教えてくれると思います。もし本当にそうなれば、あのビープルの作品の価値はもっと高まるでしょう。

ただ、ビープルはオークションで歴史的な高値を付ける作品を意図的に作ったわけではないと思います。あそこまでの値が付くとは考えていなかったけれど、彼のアート作品の作り方が時代の流れに見事にマッチして、あの価格になったのでしょう。

この出来事の衝撃は、アートシーンだけにとどまらないのではないかとも私は思っています。このビープルの作品は、デジタルの世界の中でオリジナルデータが存在できることを証明しました。さらに、そのオリジナルデータに対して大金を動かせるということも実証しました。この仕組みを応用した新しいビジネスやサービスがこれから生まれるかもしれません。それが何なのかは私には分かりませんが、少なくとも私たちはこのビープルの作品から「デジタルの世界でオリジナル性を示すことができたら人間は何をやり始めるのか」という「問い」も感じることができるでしょう。

「現代アート」はもう終わった

比較するつもりはないのですが、ビープルというアーティストがアートシーンの最前線に現れたとき、私はバンクシーの存在感が薄らぐのを感じました。バンクシーは「現代美術」の最先端を走るアーティストの中でもトップランナーに近い存在でしたが、バンクシーが作り出した現代アートの仕組みは、ビープルが作り出したデジタルアートの仕組みほどには歴史的な重みがないように思います。

私は今、デジタルアートを含むテクノロジーアートやサイエンスアートに触れる機会が多くなっているのですが、だんだんと「現代アート」や「現代美術」を古く感じるようになっています。ときに、その分野のアーティストがオールドスクール出身のように思えるときもあります。そのアーティストやその作品に価値がないと言っているわけでは決してなく、印象派、ポスト印象派、近代美術、現代美術というアートの歴史の流れがあるとすれば、「現代美術」の時代がもう終わりを迎えつつあるように感じるのです。

近代美術（モダンアート）と現代美術（コンテンポラリーアート）の境目を示す画家が、美術史家によって「ピカソだ」「モンドリアンだ」「ポロックだ」などと異なるように、現代美術とこれから始まる美術の時代区分にも幅が生じるでしょう。だから、今はアートシーンにおいてとても面白い時期で、あまり経験できない端境期かもしれないのです。

おそらく、やがて「現代美術」の次に来るアート時代の名前が現れるでしょう。それが

「デジタルアート」なのか、「テクノロジーアート」なのか、「サイエンスアート」なのか、「バイオアート」なのか、「未来アート」なのか、どう呼ばれるかは私には分かりませんが、きっと出てくると思います。その新しい時代の初期を代表するアーティストは、たぶんビープルであって、バンクシーではないでしょう。日本では真鍋大度あるいは脇田玲かもしれませんし、猪子寿之が率いるチームラボなのかもしれません。

今後、美術館も変わるかもしれません。これまでは、古典美術の作品も現代美術の作品も同じ建物の中で並べることができました。しかし、デジタルアートやテクノロジーアートの作品になると、従来の美術館では作品の本領を発揮させるのが難しくなってきました。チームラボが森ビルと組んで体感型ミュージアムを東京のお台場に開設したのも、従来の美術館ではフルスイングできないと思ったからだと思います。

コレクターたちも今後、変わっていく可能性があります。少なくとも、従来通りにアート作品を買う層と、積極的にデジタルアートのようなデータ作品を買う層に分かれると思います。一つのデジタル作品を複数の人でシェアするケースも増えていくかもしれません。そのシェアを前提としたシェアアートと呼ばれるような作品も現れて、大人数でアート作品を所有できるようになったり、アートの民主主義を「問い」とするアーティストが現れたりするかもしれません。その仕組みがうまくいくかどうかは分かりませんが、そんな可能性が山のようにあるのが新しいアート時代の特徴だと思います。

今、私たちはアートの大きな分岐点にいます。１００年後の世界から振り返ったら、今ここは、古典美術から現代美術まで続いた大きなアート時代が終わりを迎え、新しい大きなアート時代が始まった移行期に見えるかもしれません。もしかしたら１００年後、ニューヨークの近代美術館（ＭｏＭＡ）やパリのポンピドゥーセンター、ロンドンのテート・モダンは、古典美術から現代美術までを扱うオールドスクールのアーティストの作品を扱う美術館になっているかもしれません。現代の浮世絵美術館のような存在になっていても、まったく不思議ではないでしょう。

もちろん、ＭｏＭＡやポンピドゥーセンターやテート・モダンが今も昔も未来も社会にとって大切な場所であることは一つも変わりません。そして、その施設の隣に、デジタル機器を満載した大きな建物が建っているかもしれません。その二つの施設で鑑賞できる作品の間は断絶しているわけではなく、むしろアートという線で強く結び付いているのだと思います。

日本にはないアートの「追及権」

蛇足かもしれませんが、ピープルのところで触れた「追及権」について少し説明したいと思います。この権利は、アーティストの創作環境を良くする仕組みでもあり、ぜひ読者の方に知っていただきたいと思います。結果的にアートシーンが活気づくことになれば、鑑賞する私たちにとっても、素晴らしい作品に多く出会えるというメリットがもたらされます。ちなみに、日本ではこの権利がまだ認められていません。

この権利は作品の制作者、つまりアーティストに与えられます。この権利が与えられる国のアーティスト（その相続人を含む場合もある）は、自分の作品（原作品）がアートディーラーやオークションハウスなどで転売されたときに、その取引額の一部を受け取ることができます。国によってさまざまな条件やルール、支払い額があるのですが、最大のポイントは転売でもアーティストが利益を得られるという点です。

この追及権が認められないと、アーティストは展覧会などで作品を売り渡したときだけしか利益が得られません。優れたアーティストの素晴らしいアート作品は、転売される度に値が上がっていくものです。しかし、いくら高値を付けても、転売市場（セカンダリーマーケット）でアーティストが得られる利益はありません。

すると、名前や作品がよく知られるアーティストでも、経済的に不安定なままになりやすく、創作活動を続けるのに苦労するケースが生じてしまいます。その結果、アート作品の質が落ちたり、創作される数が減ってしまったりします。実際に評価されていても経済的に苦労しているアーティストは数多くいます。

そこで、転売市場の取り引きでも、売買が成立した場合は、作品の創作者であるアーティストに取引額の一部を渡すべきだという議論が生じ、その権利がだんだんと認識されるようになっていったのです。ちなみに、この権利の起源は意外と古く、１９２０年にフランスで生じたとも言われています。現在、ヨーロッパの国々を中心に多くの国で認められるようになっています。

残念なことに、日本ではこの権利がまだ認められておらず、この国では、アート界の評価が高いアーティストでも創作活動を続けるのに苦労することが多々あります。また、追及権のない国のアーティストは、追及権のある国のセカンダリーマーケットで作品が取り引きされても、支払いを受ける権利がありません。

今、日本は経済的なゆとりを失いつつあります。その変化の中でこの権利が認められないと、アーティストたちはますます創作活動がしづらくなってしまうでしょう。豊かな才能を持つアーティストがいても、創作活動を続けられなければ作品は生まれません。私たちが目にできる素晴らしいアート作品も少なくなっていきます。

本書をここまで読んでくださった方なら分かっていただけると思いますが、アートは社会と密接に結び付いています。社会がアートを支援する仕組みを作ることは、私たちの社会をより良くすることにつながります。アートはいつも社会に必要な「問い」を発してきましたし、これからもそうしていくのです。より多くの方が、アーティストの創作活動が少しでもしやすくなる社会的な仕組み作りに対して、積極的な理解を示していただければと切に願っています。

ブロックチェーンがもたらすビジネスチャンス

この「追及権」の考え方は今後、ピープルが示したように、ブロックチェーンなどのデジタル技術と組み合わせて、アート以外の分野でも適用されたり応用されたりするのではないかと思っています。すでに、その動きがあちこちで見られます。

例えば、ある有名なシューズメーカーはブロックチェーンを用いてスニーカーの所有者を追跡できるシステムを開発しました。おそらく、開発目的の一つは、いわゆる「転売ヤー」対策です。転売ヤーは人気のスニーカーを買い占めてセカンダリーマーケットで高く売り、さらに別の転売ヤーが買って再びセカンダリーマーケットで高く売るという構図の中で、値が異常に高騰してしまうことがあります。人気のスニーカーはコレクターが多く、高値でも売買されるので、転売ヤーたちの格好な商材となったのです。

シューズメーカーは、この事態に対して困惑し続けていたのだと思います。なぜなら、自分たちが作る商品の価格がコントロールできないからです。また、自分たちが作った商品が転売されて多額の利益が生じているのに、自分たちには１円も入ってきません。これも不愉快に思っていたはずです。さらに、セカンダリーマーケットで偽物や盗品が取り引きされることにも、大いに思うところがあったのでしょう。つまり、今の法律の仕組みでは、アートの「著作権」や「追及権」のようなものがシューズメーカーにはないのです。

そこで、メーカーは転売されても所有者を管理できる仕組みを独自に作ったのだと思います。所有者を管理できれば、転売ヤーたちによる不当な値上げを監視できますし、偽物や盗品であるかどうかも分かりやすくなります。消費者も、不当に高い商品や危うい商品だと分かれば手を出さないでしょう。

さらに、この仕組みをもっと進展させれば、ピープルの作品のように、制作物が転売される度に製造したメーカーやデザイナー、職人などが利益を得られる仕組みも作れるかもしれません。その仕組みを構築できれば、製造者の創作意欲も高まるでしょう。

セカンダリーマーケットを見れば、コレクターが高額で買い求めるものがいろいろとあります。例えば、腕時計や宝石、自動車、アートなどです。多くのコレクターがいて、高値が付きやすい商品があれば、必ず転売ヤーが目を付けます。そうして転売が繰り返されれば、実際の価値とは無関係に値はつり上がっていきます。いわゆる「バブル」の状態です。バブルはいつかはじけます。

このような危うい状態を作らないためにも、ブロックチェーンなどのデジタル技術で所有者を管理できるようにすれば、その商品を本当に欲しいと思うコレクターが安心して売買できるようになります。すべてのセカンダリーマーケットの商品をブロックチェーンで管理するのは難しいかもしれませんが、それをうまくやる仕組みを考え出す人が現れるのではないかと思っています。

ビープルが構築したブロックチェーンによるアーティストへの利益還元の方法は、新しい商取引の提案でもあり、新たなビジネスチャンスの提示でもあると思います。アートは、このように、社会の最先端の課題を解決するためのヒントを与えてくれます。

「ジェネリックアーティスト」の危うさ

「ジェネリックアーティスト」という言葉をご存じでしょうか。「ジェネリック」という言葉はいろいろな分野で使われているようですが、近年、アートの分野でもよく耳にします。このジェネリックアーティストの作品の特徴は、有名なアーティストの作品の雰囲気と似ているところです。例えば、奈良美智さんの作風に似ているアーティストがいるのですが、その作品がセカンダリーマーケットなどで人気だったりします。

実は、このジェネリックアーティストたちの作品が取り引きされる背後で、転売ヤーたちが動いていると言われています。私が見聞きしている範囲で推察すれば、ブロックチェーンの導入によってスニーカーで商売しづらくなった転売ヤーたちが、次の商材としてアート作品に目を付けたようなのです。

アートの世界はまだ従来の方法で作品が取り引きされています。やがて有名なアーティストの作品はブロックチェーンで管理されるようになるかもしれませんが、現在はまだそのような状況になっていませんし、将来においても若手のアーティストの作品はこれまでと同じように取り引きされると思います。そんな若いアーティストの中で、有名なアーティストに近い作風を持っていると、転売ヤーたちが目を付けるのです。

もちろん、そのアーティストは自分がジェネリックアーティストだとは思っていないでしょう。思っていても認めないでしょう。アーティストであれば、独自性と画期性が何よりも重要であることを知っています。しかし、アートの歴史を軽視するアーティストは、たいてい過去のアーティストの焼き直しをしてしまうものです。

ただ、ジェネリックアーティストの作品は、転売ヤーたちによって買われ、国内のアートオークションなどで見せかけの人気や価値が作り出されます。そして、それに触発された消費者が買い求めるのです。それが繰り返されるうちに、そのアート的な価値とはかけ離れた値につり上がっていきます。

しかし、このようなバブルの状況は長続きしません。やがて消費者が「このアーティストの作品にどれだけのアート的な価値があるのか」と疑問に思うようになると、急に人気がなくなったり、値が一気に崩れたりします。一番損をするのはこのアート作品を高値で買った一般の方です。

私は、多くの方がアート作品を自ら購入して部屋に飾って親しむ習慣を持ってほしいと思っています。素晴らしいアート作品は、長く付き合うほどに、さまざまな「問い」をさまざまに投げかけてくれるものです。その「問い」は所有者（鑑賞者）の人生を豊かにしてくれます。若手のアーティストの作品なら安く買えることもありますので、私はそのような作品の購入をアートの初心者によくすすめます。ただし、そのアート作品を選ぶにあたっては、マーケット上の人気ではなく、自分の目で見て、じっくりと鑑賞し、心に響くものがあるかどうかを確かめてからにすべきです。ここでは詳しく書きませんが、「おわりに」にアーティストの見極め方について少し書きましたので、ご一読ください。

第三章

「アート思考」とは意識の壁を壊すこと

アートは人々の感覚と意識の壁を取り除く

アートとは「問い」である。そうであれば、なぜアーティストは「問い」を鑑賞者や社会に投げかけるのでしょうか。何か必然性のようなものがあるのでしょうか。

アーティストは誰かに頼まれたわけでもないのに自ら「問い」を作って、基本的に言葉には頼らず、それを時間と手間と労力を使って形や色、作品の強度などで伝えようとします。どうして、わざわざそんなことをするのでしょうか。芸術学の専門家や美術評論家に聞けば、さまざまな考えを教えてくれると思います。ただ、私はわりとシンプルにこう考えています。

アーティストが「問い」を発するのは、人間の感覚と意識を拡張したいからだと。

アーティストは、不特定の鑑賞者に今まで感じたことがないものを感じさせたいと思っています。言葉に頼らないのは、今まで覚えたことのない感覚を味わわせたいからです。アーティストの中には、その新たな感覚を通して、人々に新たな意識を生み出させようとする人もいます。人が持つ感覚を通して、今まで感じたことのない感覚を覚えさせることで、それまで頭の中にあった意識の壁を人々に越えさせようとするのです。

アーティストは、お金のためではなく、あるいは誰かの依頼に応えるためでもなく、人々の意識の拡張を図ろうとします。それはなぜか。この答えに絶対的に答えられる人はいないと思いますが、アートはそうやって人類の歴史とともに営まれてきたのだろうし、アートが人々の意識を拡張する度に人類はより自由になれたのではないかと私は思っています。

私は、美術館などにあるアート作品を見に行くかどうかを決めるとき、頭にある意識の壁を壊してくれそうかどうかを一つの基準にしています。どんなに頭を柔らかくしていても、いつの間にか「こんなことは無理だ」とか「アート作品はこう見るものだ」とか「科学技術はやがて人々を不幸にするに決まっている」などという固定観念のような意識の壁が、頭の中で築かれてしまうものですし、自分でそんな意識の壁を取り除くのも難しいものです。

しかし、この意識の壁を打ち破ってくれるのがアートです。私は、そんなアート作品があるかもしれないと思える展覧会や芸術祭などがあれば、積極的に足を運びます。私は、アートによって意識の壁を越えたとき、生きるのが楽しくなったり思考の幅が広がったりして、自分の感じ方や考え方がより自由になることを知っています。

この章では、人々の意識の壁を驚くべき方法（とても意外な表現の仕方）で打ち破ったアーティストをいろいろと紹介したいと思います。ぜひ、自分の頭にある意識の壁を乗り越え、思考の幅を広げるきっかけにしてください。

マーティン・クリード――「創作物がない」アート

最初にご紹介したいのは、マーティン・クリードについてです。英国のアーティストで、２００１年に『作品番号２２７：ライトが点いたり消えたり』（２０００年）で「ターナー賞」を受賞しました。

このターナー賞は、18世紀の終わりから19世紀の前半にかけて活躍した英国のアーティスト、ジョゼフ・マロード・ウィリアム・ターナーの名前を冠にした賞で、現代アートに大きな貢献をした英国人、もしくは英国在住のアーティストに授与します。主催は英国の国立美術館を運営するテートギャラリーで、現代アートにおける権威ある賞の一つです。つまり、マーティン・クリードは、英国がお墨付きを与えた由緒正しい現代アーティストの一人ということです。

しかし、このターナー賞の授賞式で、プレゼンターのマドンナ（米国のシンガーソングライター）は受賞作品に対して「こんな作品、まったく理解できない。どうして受賞できたのか分からない」という趣旨の発言をして大きな話題となりました。マドンナはどうしてこのような発言をしたのか。推測するに、『作品番号２２７：ライトが点いたり消えたり』が創作物（アート作品）に見えなかったからでしょう。

この作品は、タイトルが示す通り、美術館などにある一つの部屋のライトが点いたり消えたりするだけのものです。その部屋には何もありません。ライトが点いては消えるだけで、そこには創作されたものは一つもないのです。

これはいったいどういうことなのか。もうお気付きだと思いますが、このアーティストはライトを点滅させることのみで大きな「問い」を投げかけているのです。言葉にすれば、「アートに創作物は必要なのか」とか「つくるとはどういうことか」という「問い」になると思います。その究極の「問い」を感じさせて鑑賞者の意識の拡張を図るという意味では、これは見事なアート作品です。

普通、「作る」「造る」「創る」と言われたら、何か物を生み出すことだと考えるものです。アートの世界であれば、絵画を描いたり、彫刻を作ったり、写真を撮ったりします。しかし、クリードは「作る」「造る」「創る」ことをまったくせず、それでも作品を〝つくり〟、私たちの「普通」という意識の壁を打ち破ろうとするのです。その表現手法は洗練されていて、ユーモアさえ感じます。

私はこの作品を実際に見たことがあります。何もないので「見た」と言えるかどうかは分かりませんが、その作品のライトが点いたり消えたりする空間に入りました。そのときに覚えたのは、なんとも言えない不思議な感じです。その部屋の空間を、妙に深く感じ入りました。例えば、天井の高さ、部屋の奥行き、壁の長さなどを強く感じ、「空間」というものを生まれて初めてきちんと認識した気持ちにさえなりました。

この空間の中で、私は普段の生活で見落としていることや意識しないでいることがたくさんあるのではないかと思いました。「私たちは見えているものを本当に見ているのか」。クリードの作品は、「見えていても存在を意識できていないことが実はたくさんある」ということに気付かせてくれます。

この作品が現代アートを代表する賞を受賞したとき、私はこれからのアート作品には「つくる」が問われると思いました。第一章や第二章で紹介したアーティストの作品の多くも、一般に知られているアートの創作物とは少しイメージが違うと思います。ストリートの壁に描いた絵だったり、女性がイルカを産んだように見える写真だったりなど、それらには従来の「創作」とは異なる印象があると思います。しかし、それも「つくる」なのです。私たちの意識を拡張してくれるアート作品なのです。マーティン・クリードは、アート作品のあり方を拡張し、現代のアートの自由度を引き上げたアーティストの一人だと言えます。

「つくる」とは何か

クリードは「つくらない」作品を通して「つくるとは何か」という「問い」をアート界や社会に投げかけました。このような思考法こそ「アート思考」の良い例ではないでしょうか。見慣れた日常をもう一度見直したり、当たり前だと思っている思考を改めて考え直したり、普通だと思っていることを一度リセットして感じ直したりするという重要さを、クリードは教えてくれているように思います。

クリードの作品には、こんなアート思考を刺激するものがたくさんあるので、ぜひインターネットなどで検索して調べてみてください。彼のユニークなところは、その作品名にも表れています。基本的に〝番号〟だけです。例えば『作品番号９９０』は部屋のカーテンが勢いよく開いたり閉じたりするだけの作品です。まったくそれだけなのですが、カーテンが開けば窓の外の風景が見え、カーテンが閉じれば窓の外の風景は見えなくなります。それを交互に繰り返すと、その違いがなんだか大きな違いのように思えてきますし、そんな大きな違いがあることに今まで気付けていなかったことに気付かされます。

他に、部屋の中にたくさんの風船が詰め込まれた作品もあります（『作品番号２６８』）。鑑賞者はこの部屋の中に入っていき、少し苦労しながらも楽しみながら歩くことになります。普段は、部屋の中に空気があることなんて意識することはないのですが、風船を詰め込まれた空間を歩くことで、部屋の中にある空気を意識せずにいられなくなります。

極めつきは『作品番号８５０』です。これは、ランナーが美術館の廊下を走り抜けるという作品です。しかも、その美術館は英国では大英博物館に比肩するほどの権威を持つ美術館「テート・ブリテン」です。

私は以前、この作品を鑑賞するためにテート・ブリテンまで足を運んだことがあります。マーティン・クリードの作品が見られると聞いてわざわざ訪れたのですが、中に入ると常設展しかやっていませんでした。「どういうことだろう?」などと思っていると、いきなり長い廊下の向こうからランナー姿の人間がわりと速い速度で走ってきて、私の目の前を通り過ぎ、反対側の奥まで走っていったのです。『作品番号８５０』はそういう作品でした。

普通、美術館の中は走ってはいけません。クリードはこの「普通」の壁を打ち破ろうとしたのです。では、この壁を壊すことで見えてくるものは何でしょうか。それは、美術館の中にある暗黙の「ルール」だと考えられます。クリードは常に、意識の壁を打ち破り、それまで見えなかったことを意識させてくれるのです。

マーティン・クリードを招いて個展を開く

私はかつて東京都江東区の清澄白河に「hiromiyoshii」というギャラリーを構えていました。ここでマーティン・クリードの展覧会を開き、アーティスト本人を呼んだことがあります。トークショーのようなイベントも開き、とてもユニークな個展を作ることができました。

あえて「普通」という言葉を使いますが、普通、アーティストは作品を作りながら「問い」を形作っていき、それに対する答えをアーティスト自身も探していくのだと思います。絵画を描くアーティストなら、絵を描きながら自ら自分に問いかけて答えを見つけ出していく。作品と対話するように「問い」を洗練させていくのが創作活動ではないかと思っています。

しかし、マーティン・クリードは従来のような創作方法では「作品」を作りません。そうであれば、彼は「問い」を生み出して洗練させる独自のやり方を持っているはずです。私は「ものすごい珍しいアーティストだ」と思い、彼の個展を開き、彼を招けば、何かが分かると期待しました。

しかし、彼との会話は、正直、禅問答のような感じでした。私が質問すると、それに答えることはせず、絶妙な質問で返してくるのです。仕方がないので、こちらがその質問に答えると、そこに彼が別の答えを重ねてくる。会話の方向感覚がだんだんと失われていくという経験を人生で初めてしました。

おそらく、彼はあらゆることに対して答えを出さないようにしているのでしょう。「つくる」ことをすれば、「問い」だけでなく、必然的に「答え」のようなものも生み出されてしまいます。言い換えると、「つくる」ということをすれば、何かが出来上がってしまうのです。もし「つくる」ことだけが重要なのであれば、あるいは「問い」を発することだけが重要なのであれば、いかに出来上がらないように、いかに「答え」が出ないように「つくる」かが重要になってくるはずです。クリードはそんな矛盾するようなことを、アートを通して挑んでいるのかもしれません。

クリードの個展を開き、クリードと話す機会を得て、私は自分の中で何かが変わったように感じました。うまく言葉にできないのですが、私の頭の中にある意識の壁が大きく崩されたと思っています。私の職業はアートディレクターで、絵や彫刻などのアート作品を売るのが仕事だと思っていましたが、クリードと出会って「この仕事のやり方でいいのか」と立ち止まって考えるようになったのです。それで実際に何か大きく変わったということはないのですが、仕事に対する取り組み方がそこから変わっていったのは確かです。

ジョシュ・スミス —— 顔のない自画像

次に話したいアーティストは、ジョシュ・スミスです。このアーティストも、マーティン・クリードと同じように「つくるとはどういうことか」という問いを投げかけていると、私は思っています。

スミスの作品の中で特に有名なのは自画像です。この自画像はどう見ても「普通」ではありません。「自画像を描く」と聞けば、普通は描き手が自分の顔を描いたものをイメージしますが、スミスは顔を描きません。自分の名前を書くのです（図3-1、次ページ）。

今はネームペインティング以外の作品もあるのですが、かつてはその一連の作品だけを作っていました。だから、彼の展覧会に行くと、「Josh Smith」という文字がさまざまに描かれた作品だけが並んでいて、それはそれでとても圧倒的な光景でした。

たぶん、このスミスの作品を見た多くの鑑賞者は「自分の名前を書くだけなら私もできる」と思ったことでしょう。私もそう思いました。しかし、スミスの狙いはまさにそこにあ

図3-1　ジョシュ・スミス『Name Painting』
2006年　©Josh Smith

ると思います。誰でもできることをあえて（絶妙に）することで「つくるとは何か」という「問い」を存立させたのです。別の言い方をすると、彼は自分の名前を描くことで、人々の中にあった「自画像」という意識の壁を打ち破ったのです。

　アーティストが優れた技能を用いて描く自画像だけがアート作品になるという考え方は、私たちがいつの間にか築いてしまっている意識の壁です。その壁を人々が乗り越えることができたら、アートはもっと進展するかもしれません。スミスは、そんな「問い」を投げかけてもいると思います。

　彼の作品を見ていて私が強く感じるのは、創造という営みはもっとプリミティブ（原始的）なものでいいのかもしれないということです。入学が難しい美術大学に入って基礎技術を磨くことも大切ですが、もっと自由に原始的な思いでアート作品を創造してもいいのかもしれません。

　今、ビジネスの世界ではイノベーションの創出が大きな課題になっており、最先端の科学から生まれる科学技術も重要だと思いますが、もっとプリミティブな思いから生まれた製品やサービスが意外と社会に大きな影響を与えるのかもしれません。具体的な提案はできませんが、スミスの作品を通して身に付ける「アート思考」は、私たちの既成の価値観を打ち破るときにも役立つと思います。スミスの作品も、インターネットで検索すると、その片鱗がいろいろと出てきますので、ぜひ調べてみてください。

遠藤一郎――「応援」をアートにする

次に紹介する遠藤一郎さんは、私がよく知るアーティストの一人です。強烈な個性を持ったアーティストですが、彼も何かを作り出すということはしません。独自のパフォーマンスアートを中心にした活動をしているのですが、その中でも遠藤さんを一躍有名にしたのが「応援」のパフォーマンスアートです。

例えば目の前に佐藤さんという人がいれば「フレー！　フレー！　佐藤！」と叫びながら、佐藤さんを応援する言葉を大声で言うのです。応援するのは人物だけではありません。「六本木クロッシング」などの芸術イベントにおけるパフォーマンスアートでは、「フレー！　フレー！　アート」と絶叫しながら、アートが私たちにしてきてくれたことや、アートがこれからどれだけ必要なのかを大声で言いながら応援するのです。

おそらく、これを読んだ多くの方が「えっ、それはアートなの？」と思うことでしょう。

何をもってアートと呼ぶのかという議論には正解がないので、遠藤さんのパフォーマンスアートをアートと呼ぶかどうかは人によって異なると思います。ただ、私は彼のパフォーマンスアートは極めて洗練されたアートだと思っています。何より、遠藤さんのパフォーマンスアートには人を勇気づけるものがあります。

私は、アートは人を勇気づけるものだと思っています。その作品が人の感情を激しく揺さぶり、心地よくない気持ちを抱かせるものであっても、その作品を通して投げかけたアーティストの「問い」は、鑑賞者のその後の人生や社会の未来を豊かなものにするものです。もし、そうでなければ、例えば単に刺激的で人を不快な気持ちにさせるだけなら、やがて社会から消え去るものになるでしょう。

人は、他人を応援する生き物です。これはとても人間らしい行為です。人間が人間でいられるための一つの条件かもしれません。遠藤さんの「応援」パフォーマンスアートは、人を元気にしたいという気持ちや行動をプリミティブに表現することで、アート活動の本質の一つを洗練させたと言うことができると思います。彼はおそらく「アートとは何か」という自問を繰り返して突き詰めた果てに「応援」という表現に至ったのでしょう。「人を元気にさせるパフォーマンスだけでアートは成立するのか」。おそらくこれが彼の発している「問い」

です。アートの文脈においても深い「問い」だと思います。

そんな彼が私のギャラリーで個展を開きました。２０１４年5月のことです。タイトルは『アートにセンスいらねえ ロマンがあればいいのよ』というものでした（図3-2）。この展覧会で、遠藤さんはアクションペインティングのパフォーマンスを披露してくれました。白い壁に大きな横長の白いキャンバスが設置され、壁やキャンバスに体を打ち付けながら、ときに大きな声で叫びながら、手に付けたペイントの色を叩きつけたり、ローラーでカラフルな線を引いたりして、やがてその上に太い線で「大好きなんだ　おまえらが」と書き、何度も「大好きなんだ　おまえらが」と絶叫しました。その後も、エレキギターを即興で（滅茶苦茶に）弾いて人生について歌ったり、体全身を使ってキャンバスに色を叩きつけたりを繰り返して、さらに「大好きなんだ　おまえらが」と叫び続けました。そして、たくさんの色が塗り重ねられた小さなキャンバスの上に、叩き過ぎてしびれているはずの手で「泣くな」と赤い字で書いたのでした。

図3-2　遠藤一郎　『アートにセンスいらねえ ロマンがあればいいのよ』展の会場風景、2014年　©遠藤一郎

岡本太郎と似ている

私は、彼のパフォーマンスアートを見て、岡本太郎さんに似ていると思いました。岡本さんは銀座で画廊を経営していた私の父と仲が良く、ときどき私の生家にも遊びに来られました。そのとき、子どもだった私と一緒に遊んでくれたのですが、その遊び方はいつも真剣でした。本気で子どものように遊ぼうとするので、子どもながらに驚いた記憶があります。もっと驚いたのは、私の子ども部屋で岡本さんが寝始めたことです。理由はよく分からなかったのですが、寝息をたてて急に寝てしまいました。今思うと、岡本さんは自分の感覚を研ぎ澄ませることに日々命を燃やしていたのかもしれません。

岡本さんは、才能の人というよりも覚悟の人だったように思います。美術の権威や社会の固定観念に対して、全身で「NO」を突きつけていく。まるで自分を追い込むようにして強いものに立ち向かい、そして人々の意識の壁を壊していく。そんな岡本さんの生き方は、作品とともに力強いメッセージを発しました。今も、日本の中で幅広い世代から愛されているのは、作風だけでなく、この岡本さんの生き方が現代社会でも価値のあるものだからだと思います。

遠藤さんのパフォーマンスアートも、そんな純粋であり続けようとする人間の生き方の上に成り立っているように感じます。遠藤さんが私のギャラリーで個展を開いたころは、師であるアーティストの会田誠さんに提供されたワゴンで車上生活をしていて、その車で各地に移動して応援パフォーマンスアートを展開していました。

そのワゴンの車体には誰もが自由に好きなことを書き込むことができて、彼が車上生活をすればするほど、それだけで温かい気持ちが日本中に広がっていき、何かを応援するパフォーマンスアートにつながっていくのでした。彼の活動は、すべてがアートになっている点で画期的であり、アートはもっとプリミティブなものでいいのではないかという意義深いメッセージも、その活動には見られます。

岡本太郎さんもよく言っていましたが、アートにうまさは必要ありません。人類が生活の役に立たないアートをなぜ有史以前から作ってきたかと言えば、人の心を動かすというプリミティブな役割を担えたからだと思います。その原点に立ち返れば、アート作品に「つくる」というプロセスはそれほど必要ないと言えます。むしろ応援のように、他人の心を動かすことのほうが重要かもしれません。この考えをさらに拡張すれば、人の心をプリミティブに動かす生き方ができるとすれば、それもアートと呼べるのかもしれません。

絵をうまく描けないし、写真も上手に撮れないし、彫刻も手先が器用ではないから作ることができないという人も、生き方次第でアーティストになれるのかもしれない。遠藤一郎さんは、自身のパフォーマンスアートを通して「生きることそのものがアートではないのか」と問いかけてもいるのでしょう。

会田誠が育てた新しい世代

ちなみに、この遠藤さんは次の章で紹介するアーティスト集団「Chim↑Pom」の主要メンバーと同じ時期に「美学校」（東京都千代田区）という私塾に通っていました。そこで、日本の現代美術を代表するアーティストの一人、会田誠さんから学び、卒業後に頭角を現していきました。

この美学校は、美術大学とは異なり入学するための試験や資格はありません。正規の美術教育はしないのですが、名だたるアーティストや作家、クリエイター、映画監督などが教壇に立ち、多くのアーティストの卵を輩出し、その出身者の中には現在活躍するアーティストやクリエイターが少なくありません。

遠藤さんの師である会田さんは、１９６５年生まれのアーティストで、年齢的には村上隆さんや奈良美智さんより少し下になります。会田さんの作品の特徴は、ユーモアの中に鋭い社会批判やアイロニーを込めるところです。特に日本社会や日本文化に関わる作品が多く、その独自性は日本の現代アートの中では群を抜いています。高く評価されるアーティストでも、たいてい似ている作風のアーティストが他にいるものですが、会田さんの場合は、その作風に類例がないと思います。私は会田さんの作品を取り扱ったことはありませんが、彼は間違いなく「天才」だと思います。

その会田さんが見いだした遠藤一郎さんやChim↑Pomも、その作風には類例がないと思います。独自性が非常に高い表現に加えて、日本ならではのローカリティーのような面も強く、とても面白いオリジナルのアートシーンが２０００年代の後半に日本に次々に出てきたのです。私は、この外国にはいないタイプの日本人アーティストたちが世界に進出したら、大きくスパークするのではないかと本気で思っています。

今振り返って思うのは、世界的に知られる現代アートの国際美術展覧会「ヴェネチア・ビエンナーレ」の日本館で、飛ぶ鳥を落とす勢いだったときの彼らの作品やパフォーマンスを世界の人たちに見せてほしかったということです。もしかしたら、彼らはそこで世界的なアーティストになる最初のステップを踏み出せたかもしれません。当時、私は彼らが日本館に選ばれてもおかしくないと思っていました。しかし当時、特にChim↑Pomが何をするか分からない「炎上系」と思われてしまっているところがあったので（それは誤解なのですが）、もしかしたら敬遠されてしまったのでしょうか。

しかし、東京の六本木にある森美術館は、Chim↑Pomの企画展の開催を予定しています。この美術館は、過去に草間彌生さん、杉本博司さん、会田誠さんの個展を開いていて、その流れでChim↑Pomを選んだのでした。見識の高さを感じます。

第四章

都市は本当に必要か？

アートは、すでに都市への「問い」を発していた

２０１９年に発生した、いわゆる「新型コロナウイルス感染症」は世界を大混乱させました。感染拡大を防ぐため、不要不急の外出が制限されて、ステイホームという自宅待機が社会的に求められ、多くの人がリモートワークという新しい働き方を手探りで始めるなどして移動を自粛しました。

この状況は、人々に少なくないストレスを与え、またコミュニケーション不足による効率低下などの問題を起こしました。しかし、一方で、通勤電車に乗ることや手間のかかる出張がなくなったり、オフィス内での人間関係によるストレスが軽減されたり、あまり必要のなかった会合や会食、パーティがなくなったりするなど、精神的な負担が軽くなるという面もありました。

このようなコロナ禍の中で、私は盤石だった都市の存在が揺らぎだしたと感じました。まるで、新型コロナから「都市は本当に必要なのか?」「都市でなければできないことは何か?」という「問い」を突きつけられているように思いました。コロナ禍を経て、社会がどれくらい変化するかは分かりませんが、都市の存在価値が問われるのは間違いないでしょう。

都市は、これまでと同じようにはいられないと思います。

実は、アートはすでにコロナ禍の前から都市についてさまざまな角度で「問い」を投げかけていました。その問いを受け止めることは、ポストコロナの都市を考える上で役立つと私は思っています。この章では、都市に対するアートの「問い」をいろいろと紹介します。

Chim↑Pom――「御法度寸前」の表現で社会を風刺

最初に話したいのは、前章で少し触れたChim↑Pomというアーティスト集団です。メンバーは卯城竜太・林靖高・エリイ・岡田将孝・稲岡求・水野俊紀。２００５年に東京で結成されました。

このChim↑Pomも、遠藤一郎さんと同じように、作品を作るというよりは新しいアートの「仕組み」を考えるアーティストたちです。その作品はとにかく前代未聞のものばかりで、どれも「何だこれは！」と思わずにはいられません。ただ、その作品が投げかける「問い」には、現代社会に対する鋭い批判があります。その洗練された「問い」を、見事なユーモアと皮肉とともに投げかけてくるのです。

社会的に話題になった作品も多々あります。例えば、『ヒロシマの空をピカッとさせる』（2008年）という作品は、広島の「原爆ドーム」の上空に「ピカッ」という字を飛行機で描いたもので、これは大きく報道されて大いに物議を醸しました。

この騒動によって、企画されていた広島市現代美術館での彼らの個展は中止。しかし、Chim↑Pomはその後もヒロシマと核問題をテーマにした作品を発表し続け、2009年からは広島ではない場所で展覧会「広島！」を開き、その後も「！」を一つずつ増やしながら各地を巡回するという活動を始めました。そして、2013年に広島で「広島!!!!!!」という展覧会を開くに至り、この開催には広島市民も自ら協力したそうです。

また、東日本大震災による原発事故が発生した2011年には、東京の渋谷駅に設置されている岡本太郎さんの巨大壁画『明日の神話』の端に、Chim↑Pomが制作した原発事故の絵（板に描いたもの）をゲリラ的に付け足しました（『LEVEL 7 feat. Myth of Tomorrow』）（図4-1）。その作風は見事で、『明日の神話』の作風に合わせながらも、どこかユーモアも感じさせるものでした。これは、広島の上空で「ピカッ」を描いたときよりもさらに大きく報道され、物議もより大きなものになりました。

この作品をどのように評価すべきか。まず大前提として、既存のアート作品に対して制作

図4-1　Chim↑Pom『LEVEL 7 feat. Myth of Tomorrow』2011年
© Chim↑Pom
Courtesy of the artist and MUJIN-TO Production, Tokyo

したアーティスト以外が手を入れるということはあってはなりません。それは御法度《ごはっと》です。ただ、このChim↑Pomの場合は、岡本さんのパブリックアートの作品に自分の作品を添えた形で、手を入れているわけではありません。それでも、制作者に無断で作品に影響を与える表現を加えることは、「普通」は許されることではありません。しかし、Chim↑Pomはそれを百も承知でこの表現に挑んだのだと思います。

　岡本さんの『明日の神話』は原爆が炸裂した悲劇の瞬間を描いたものです。ヒロシマと核問題に関わる作品を作ってきたChim↑Pomがそれを知らないわけがありません。そして、２０１１年３月に原発事故が起きてしまったときに、アートで今何ができるかと考え抜いて、あのような表現を生み出したのだと思います。彼らは、岡本太郎さんへのリスペクトを前提に、あの岡本さんの作品が持つメッセージを強調するような形で自分たちの作品を付け足しました。

岡本さんに最大限の敬意を払いながら、「普通」はやってはいけないとされることにあえて挑んだChim↑Pom。そのやり方は、岡本さんが生前に主張していた「対極主義」を踏まえた行動だったようにも思います。岡本さんの作品を管理し、あの巨大壁画をメキシコから運び出して渋谷駅に設置した平野暁臣《あきおみ》さんも、このときのChim↑Pomの表現に対してアートの文脈があると評して、不問に付しました。私も、アート作品に手を加えることは許されないと思いつつも、岡本太郎さんが今生きていれば、きっとニヤリと笑って許したのではないかと思います。

Chim↑Pomのこの表現は、社会に対して『明日の神話』という作品を改めて注目させました。そして、「私たちは岡本太郎のメッセージをきちんと受け止めているのか」、あるいは「アートはこの原発事故に対して何かできることがあるのか」という「問い」を、岡本さんに代わって社会に投げかけたのだと思います。その表現方法は御法度寸前のギリギリのところですが、とても洗練されています。

渋谷の闇をユーモラスに照らし出す

Chim↑Pomの説明をしているうちに「都市を問う」というテーマから外れてしまいました。話を戻しましょう。

私がChim↑Pomの作品を初めて見たのは２００７年だったと思います。東京の高円寺にある小さなギャラリーで展覧会が開催されていると聞き、見に行ったのです。そこで見たのは『エロキテル』という作品で、私が抱いた最初の感想を正直に言うと「こんなデタラメな作品があっていいのか」でした。

その作品は、主に携帯電話と古風なデザインの木製の箱、そして箱の上にある大きな電球で構成されていました。その装置のようなもののそばにはパネルがあり、アングラ新聞に掲載された小さい広告が大きく引き延ばされて貼り付けられていました。見ると「チ○ポム♡エロキテル」と書かれていて、その下に携帯電話の番号が記されていました。

彼らの作品説明は次のようなものでした。

石油や石炭、天然ガスなどの限りある資源の代替として、「性欲」を電気に変換することで永久に安定したエネルギーを供給すべく開発されたシリーズ作品。媒体問わずエロい広告にそれらしき文言と電話番号を掲載。広告を見た不特定多数の成人男性からかけられた電話の着信電波を、センサーによって感知してライトを光らせる仕組みになっている。

つまり、下心のある男性が怪しい広告を見て電話をすると、木箱のそばの携帯電話が着信し、同時に箱の上の電球がパッと光るという仕掛けです。それが本当にエネルギーを生み出しているかどうかは分かりませんが、実際に着信がときどきあって、するとランプが光り、箱に仕掛けられたブザーのようなものが「ビービー」と鳴り響きます。「エロが来ている」。それと平賀源内の「エレキテル」を組み合わせて「エロキテル」。ふざけ過ぎている。私は最初そう思いました。

ただ、作品を見ているうちに、だんだんと「待てよ、これは新しいコンセプチュアルアートではないか」という思いが強くなっていきました。もしかしたら、これは都市にいる見知らぬ人々を巻き込んでアート作品にしているのではないか。新たな参加型のインタラクティブアートの成功例かもしれないと思ったのです。

短い時間でもエロキテルのランプは頻繁に光ります。それほどに都市の中では携帯電話の普及とともに人と人とのつながりが容易となり、そのつながりから出会いが生じ、場合によっては犯罪も起きるかもしれない……。当時、渋谷などの繁華街では電話番号が書かれたカードなどが若い女性にたくさん配られていました。そんなことを光るランプを見ながら想像していくと、そのランプが都市の闇を照らし出しているようにも思えました。

しかも、アーティストたちや鑑賞者たちは、この作品に参加した街の人々、つまり電話をかけた人については何も知らないし、どんな人なのかも分からないのです。電話をかけた本人もインタラクティブアートに参加しているとはまったく知りません。この作品はきわどい表現でありながら、誰も傷つかない構造を保っているのです。それでいて、都市に関わる強烈な「問い」をしっかりと存立できている。ただ、その表現はとてもユーモラスで、ランプが光ると思わず「ニヤリ」としてしまいます。気付けば、「こんなアート作品は今まで見たことがない」となっていました。彼らは見事に都市の闇をユーモラスかつシニカルに浮かび上がらせていたのです。

渋谷の野良ネズミをピカチュウに

Chim↑Pomのような表現方法を取るアーティストは、世界的に見てもいませんでした。前章でも少し触れましたが、彼らは美術大学を卒業しておらず、絵を描いたり彫刻を彫ったりする技術を十分に持っていませんでした。また、いわゆる社会のメインストリームではない、渋谷のバックストリートのようなところで生きてきた人たちでもあります。そんな彼らが、主要メンバーの卯城竜太が私塾「美学校」に通い始めたことをきっかけにアート活動をするようになったのでした。

彼らの作品や活動は実にユニークです。メンバーたちが身近に感じるものをモチーフにして、ユーモラスかつシニカルに現代社会が生み出す矛盾のようなものを浮き彫りにしていきます。決して茶化しているわけではなく、糾弾しているわけでもなく、虚を突くように「問い」を投げかけていきます。

渋谷生まれのChim↑Pomの「問い」には都市に関わるものがいくつもあります。その中でよく知られる作品の一つが『SUPER RAT』（2016年）（図4-2）です。

彼らの説明によれば、「スーパーラット」とは殺鼠剤などの毒への耐性を遺伝的に獲得し

（上）図4-2　Chim↑Pom『SUPER RAT』2006, 2008年
Photo:Yoshimitsu Umekawa　© Chim↑Pom
Courtesy of the artist and MUJIN-TO Production, Tokyo
（下）図4-3　スーパーラットを剥製にして、アニメ『ポケットモンスター』のキャラクター「ピカチュウ」に模して黄色く着色、展覧会ごとに異なるジオラマの中に設置した。

た、都市圏で爆発的に増えているネズミの通称のようです。Chim↑Pomは、このスーパーラットを網で捕獲し、それを剥製にしました。さらにアニメ『ポケットモンスター』のキャラクター「ピカチュウ」に模して黄色く着色し、展覧会ごとに異なるジオラマの中に設置して、捕獲する映像とともに展示（図4-3、前ページ）。そして、「都市の中で自らを生き生きと進化させ、人間との共存を続けるスーパーラットたちは自分たち自身の肖像であり、そこに放射能汚染後を生きる日本人の姿をも見出した」というメッセージも添えました。

街をうろつくネズミは世界中、どの社会でも嫌われ者ですが、その一方で世界的に愛されるキャラクターはネズミがモデルだったりもします。ピカチュウをはじめ、ミッキーマウス、『トムとジェリー』のジェリーなど、さまざまなネズミモデルのキャラクターが国内外にあり、多くの人から愛されています。しかし、街にいる本物のネズミは毛嫌いされます。それなら、「嫌われている都市のネズミが一番愛されているキャラクターに扮したら愛されるようになるのか」というユーモラスでシニカルな「問い」をChim↑Pomは投げかけたわけです。

都市で嫌われているネズミの問題は、元をたどれば人間が生み出したものです。ネズミが増えた一因は大量のフードロスです。栄養豊かな残飯が都市にあふれていたからこそ、ネズミが繁殖したのです。実際、渋谷や銀座で見かけるネズミはとても太っています。人間はそのネズミを駆除しようとしますが、元にある問題を解消しなければネズミは増え続けるでしょう。

これは、現代社会が抱える問題がいかに根深いかを示す一つの典型例です。

Chim↑Pom は、そんな社会問題を渋谷のバックストリートで感じ取り、ユーモラスな形でシニカルに提示します。彼らがピカチュウに扮装させたスーパーラットは、どこか美しく力強さも感じさせます。この作品も、間違いなくアートでしょう。

『友情か友喰いか友倒れか』

私は、自ら運営していた清澄のギャラリーで Chim↑Pom の個展を開催しました。彼らにとっては初の本格的な個展になったと思います。２００８年のことです。このときの展示で私が一番印象に残っている作品は『友情か友喰いか友倒れか　BLACK OF DEATH curated by 無人島プロダクション』という作品です（図４-４、１１７ページ）。

大きな箱の一面にガラスがはめられて、その中に渋谷で捕獲したネズミとカラスを入れて、さらにメンバーの一人である水野俊紀も中に入り、渋谷で調達したフードロスの食品だけで食いつなぎながら、いずれが最初に絶命するかという作品です。人間も残飯を食べるのですが、ファストフードや弁当店などで販売期限を過ぎて処分されたばかりの食品もたくさんあるので、不衛生というわけではありません。むしろ、「こんないい状態のものを捨てるの?」と驚くような食品がたくさんあります。Chim↑Pom はそのパフォーマンスを会期中ずっと続けることにしました。

個展を開く前、Chim↑Pom からこのパフォーマンスの企画を出されたときは、正直、私は「えっ?」と思いました。ギャラリーの中で、野良のカラスとネズミと人間を入れて、残飯を食べる……。戸惑いましたが、主役のアーティストたちがやりたいと言っているのだから、やってもらうことにしました。

実際にこのパフォーマンスが始まるとさまざまな反響があり、「残酷だ」という批判も多くいただきました。目の前にカラスやネズミがいて、人間を含めていずれかが死ぬことを前提にしたパフォーマンス。確かに残酷だったのかもしれません。

結局、最初に絶命したのはカラスでした。10日目くらいのことです。狭いところに閉じ込められたストレスが原因のようでした。それで、このパフォーマンスは会期中に終わってし

図4-4　Chim↑Pom　『友情か友喰いか友倒れか/BLACK OF DEATH』
©Chim↑Pom

まいました。しかし、それでも私はこの作品の出来は素晴らしいものだと思いました。この箱の中には東京という都市や、その都市が生み出す社会問題の一端が見事に凝縮されていると感じたのです。

もっと言うと、この作品は「人間とは何か」という「問い」も投げかけていると思いました。都市というのは人間が作り出したものですが、その中にはネズミやカラスなどの動物も生きていて、もしかしたら、長い時を経れば人間が先に死に絶えて、このような動物が生き残るかもしれません。この作品で提示した都市への「問い」は渋谷だけのものではない。東京や日本、世界、人類全体に関わる「問い」にもなっていると私は思いました。

Chim↑Pomはそこまで考えていなかったかもしれませんが、この作品が持ち得る「問い」はそこまで深いものがあると感じました。

批判される一方で、高く評価してくださる方もいました。前の章で紹介した東京都現代美術館の著名な学芸員の長谷川祐子さんもその一人でした。この作品を「購入の候補にしたい」と言ってくださったのです。日本の現代アートの殿堂と呼ぶべき東京都現代美術館の購入となれば、それはChim↑Pomが現代アートの文脈として認められたことを意味します。当時の彼らにとっては最高の評価です。

しかし、この購入は意外な理由で実現しませんでした。カラスを飼うのは東京都の条例違反で、東京都の施設である東京都現代美術館が買うわけにはいかないという話になったようです。ギャラリーでのインスタレーションが、カラスをケージで飼ったと解釈されたのはとても残念に思いました。しかし、あの長谷川祐子さんがChim↑Pomを認めてくれたというだけでも個展を開いた意味があったというものです。少なくとも、都市の闇や人間の闇を照らし出すChim↑Pomというアーティスト集団は、東京都現代美術館が購入を検討するほどの作品を生み出せるアーティスト集団だと証明されたわけですから。

その後、Chim↑Pomは、東日本大震災で発生した原発事故の後、福島でも活動を展開するようになりました。彼らの作品の幅はさらに広がりを見せています。ただ、私は彼らが渋谷のバックストリートで作り出したアート作品がとても好きで、コロナ禍を経てそのころの作品を改めて見直すと「都市とは何か」という問いがよりクリアに伝わってくるように感じます。Chim↑Pomの作品を見る機会があれば、ぜひ足を運んでみてください。これからの都市のあり方を考えるヒントがそこに隠れていると思います。

石上純也――建築の概念を破壊する

次に紹介したいのは建築家の石上純也さんです。私は第一章で、建築家はデザイナーと同じで、彼らの作品はアートワークと異なることを指摘しました。建築家は、デザイナーと同様に、クライアントの要求に応じて新しい形や問題解決の方法を提示していきます。そこにクリエイティブな要素があったとしても、基本的に自分以外の者（主にクライアント）の求めに応じてデザインします。

私は、アートには社会に向けられた「問い」とアーティストの「作りたいから作る」という意志が不可欠だと思っています。クライアントワークの作品にはこの「問い」と「意志」を込めることができません。この違いが、アートとデザインを画す一線だと思っています。しかし、建築家の石上さんがデザインした建物を見たとき、「これはアートではないか」と思いました。その建物が生み出す空間には機能性や何らかの課題解決だけでは生み出せないものがあり、そこに「問い」と「意志」を強く感じたのです。

例えば、石上さんが設計した神奈川工科大学の『ＫＡＩＴ広場』（２０２０年）（図４‐５、１２２〜１２３ページ）には素晴らしい「問い」があります。そこに足を踏み入れた者は、たぶん広場の概念が覆されます。丘の上に野球グラウンドほどのとても大きな平たい建物があり、その中には柱が一本もなく、ただただ白い空間が広がっているのです。その床は優しく湾曲していて、天井に開けられたさまざまな大きさの窓から外光が差し込んできます。その太陽光が白くて湾曲した床に模様を作り、さらにいろいろな角度に反射して空間全体を明るくします。

この空間に入ったとき、私はとても不思議な開放感を覚えました。白い空間に湾曲した床、そして光の反射が折り重なって、どこまで空間があるのか認識しにくく、どこまでも空間が広がっているように感じられて、まさに「広場」になっているのです。「普通」という言葉をあえてここでも使いますが、普通、大学などの公共的な場所で広場を作るとなれば、芝生を敷いたり木を植えたりベンチを置いたりするようなデザインを考えるのではないかと思います。しかし、石上さんはクライアントの要望に応えると同時に、「広場とは何か」という問いを投げかける空間も見事に作り出したのです。

図4-5　石上純也設計、神奈川工科大学『KAIT広場』2020年
© junya.ishigami+associates

天井のない建築

石上さんが中国で計画している教会（『谷の教会』）も、空間とは何かを考えさせられる面白い建物です。これは、高さ45メートルの大きな鉄筋コンクリートの壁を二つ並べるように建てた建築物です。その二つの壁の間は狭く、通路のような空間が生まれます。最小幅は１・３メートル。この建物の圧巻は、屋根がないところです。

屋根がないと雨が降ったときに雨水でぬれてしまいそうですが、そんな心配は不要で、ある程度の高さを超えた二つの壁に挟まれた狭い空間では雨が上から入っても地面に到達するまでに霧になってしまうのだそうです。屋根がないのに、雨に降られることがない空間。石上さんはこの作品を通して、建物に不可欠な「屋根」について「問い」を投げかけているのでしょう。

もう一つ紹介しましょう。栃木県の那須にある宿泊施設「アート・ビオトープ那須」に設計した石上さんの『水庭《みずにわ》』（２０１８年）も、庭園の概念を覆すような作品です（図４-６）。これは、広大な土地に１６０の小さな池を作り、３００本以上の樹木を移植して作った人工の庭です。その小さな池の間や木々の間を縫うように飛び石が置かれていて、そこを歩いて

図4-6　石上純也『水庭』2018年　© junya.ishigami+associates

行くと自然の森を歩いているような感覚になっていきます。

この庭園は巨大なビオトープのようにもなっていて、時間の経過とともに動植物などの生き物が増えて生態系を作り出していきます。その風景は現在、ますます森のようになりつつあるのですが、その数多くの小さな池や樹木の配置は極めて人工的です。庭というのは、植物や水や石などの自然物を用いて人工的にデザインするものですが、石上さんのこの『水庭』は極めて人工的にデザインしたものを自然にゆだねるようなところがあって、今まで見てきた庭園とは明らかに異なっていました。

他の石上さんの作品を見ても、どれも空間の常識を打ち崩そうとする試みがうかがえます。広場とは何か、屋根とは何か、庭とは何か、住まいとは何か、空間とは何か……。すでに述べましたが、優れたアーティストは作品を通して人々にある意識の壁を打ち破り、より自由にしてくれるものです。石上さんは、建築を通して人々を自由にしてくれる希有な建築家であり、人間が存在する空間の原点を私たちに触れさせてくれる世界的なアーティストでもあります。

箱型の空間の限界

２０２０年に世界を混乱に陥れたコロナ禍で、私たちは社会のあり方をいろいろと考えることになりました。建築についてもそうだと思います。何百年、あるいはそれ以上に続いてきた箱型の部屋は、実は密閉空間であり、密集を作りやすく、密接になりやすい場所だと強く認識することになりました。

今後も、私たちはこのような箱型の部屋に人を集めて、仕事をしたり会議をしたり映画を観たり音楽を聴いたりアート作品を鑑賞したりするのでしょうか。建物を作り直すのはお金と時間がたくさんかかるので、このまま改良しながら今の部屋の形を維持するのかもしれませんが、少なくとも箱型の部屋の限界を私たちは知ってしまいました。

また、今回のコロナ禍は私たちに通勤電車などの移動についても考えさせました。かつて、これほど強く移動のリスクを感じさせた出来事はあったでしょうか。移動にともなう感染リスクを減らすために、リモートワークができない仕事をしている方は職場に近い家を欲したでしょうし、リモートワークができる人は自宅でのストレスを減らそうと自然の多い場所などに引っ越したいと思ったことでしょう。しかし、引っ越しをするのは簡単なことではありません。購入した家ならそこに住み続けることが多いと思います。

これまで、建築家は一日でも長く使われる建物を作ろうと努力してきました。しかし、もっと根本的に考えれば、季節や時期、場所に合わせて建物や部屋の形、自分のすみかを自由に変えていいはずです。あるいは、使う目的に合わせて形が変えられる建築があってもいいのかもしれません。

例えば、建築家の谷尻誠さんは「ＤＡＩＣＨＩ」という新事業で、自然環境を生かした簡易な宿泊施設を作っています。コンセプトは「キャンプ以上、別荘未満」で、自然の中に居心地の良い小屋のような滞在空間を作ることでラグジュアリーなひとときを提供しています。テント泊のような道具は持っていなくてもアウトドアのような能動的な体験ができ、しかもグランピングに通じるグレードの高い空間も併せ持っているのが特徴です。

この「ＤＡＩＣＨＩ」は自然開発の新しい形ですが、この高グレードの小屋を都市や近郊で作ってもいいのかもしれません。土地だけ用意して、この小屋を建て、一定の時期を過ごしたら、別の土地に移り住む。小屋であれば、住居の移住は簡単です。このような移動を前提とした家があれば、都市やその近郊で暮らす人々の中に「定住」という意識がなくなっていくかもしれません。私は、家を建ててそこにずっと住むという考え方は、今の時代で終わりになるような気がしています。やがて、例えばモバイルできる高グレードのスモールハウスを買って、ワークスタイルやライフスタイルに適した土地を借りて、何年間か住んだら次の土地に移るという暮らしを始める人が現れると思っています。

また、石上さんが考えるような屋根がない建築なら、密閉にならない集会場所を作ることができるかもしれません。仕切りのない広い空間であれば、人の密集や密接が生じにくい空間も作りやすいでしょう。今後、箱型の部屋が多い都市において、石上さんのように建築や空間の新しい形を模索することは重要な意味を持つはずです。その模索でヒントになることが石上さんや谷尻さんの建築には多くあると思います。

都市には数多くの建築物があり、都市は建築物によって支えられていると言ってもいいでしょう。その都市の建築物のあり方がコロナ禍によって揺らぎ始めたのです。建築とは何か。

建築家の中には、その「問い」をコロナ禍の前から考えて、既成の概念を打ち破っていた人もいました。そのような建築家の作品を見て、建築とは何か、都市の建築物はこれからどうあったらいいのかと考えてみるのも、アート思考の一つになるかもしれません。

都市は本当に必要なのか？

都市そのものについて考えてみるのも面白いと思います。

今、都市に行かないと手に入れられない物や受けられないサービスというのはあるでしょうか。服なら、インターネット通販で買うことができます。サイズの問題はありますが、やがて解決されるでしょう。ＡＩなどのデータ技術が進展すれば、ぴったりのサイズをリコメンドしてくれるかもしれません。本や音楽、映画などのコンテンツはどうでしょうか。リアルショップよりもインターネットのほうが手に入りやすいぐらいです。行政のサービスも、マイナンバーが普及して、役所が本気でデジタル化を推進すれば、多くのサービスがインターネットを介して受けられるようになるでしょう。

映画館はどうでしょうか。ビデオコンテンツなら家で観ることができます。インターネット経由でＤＶＤを借りることもできますが、最近はストリーミングで観ることも当たり前になってきています。

ただ、ビデオ観賞は以前から家でできましたが、映画館がなくなるということはありませんでした。友達や家族と一緒に観に行くという非日常的な楽しさがビデオ観賞にはないからでしょう。ただ、それなら都市に行かなくても、身近なところで映画が上映されて、そこに友達や家族と一緒に行けば、これまでと同じ楽しみを味わうことができます。同様に、コンサートはどうでしょうか。都市にあるコンサートホールに行く必要があるでしょうか。ずいぶん前から、人気の音楽フェスティバルの多くは、都心から外れたところで開催されています。

職場はどうでしょうか。すべてをリモートで行うのは難しいと思いますが、職場が都市でなければならないということはないでしょう。私は都心で暮らしているのですが、コロナ禍で人影がめっきり少なくなった昼間の渋谷を見ながら、それでも経済が回り続け、しかも株価が上がっていることに驚かずにはいられませんでした。その渋谷の光景は「都市は本当に必要なのか」という「問い」を投げかけているようにも思えました。

ただ、それでも都市が消滅することはないでしょう。というか、都市はこれからも発展すると思います。人類が生み出した都市は、今後も人類の中心地であり続けるはずです。都市には人を集める何かがあります。

しかし、駅前のスペースに、ロータリーやホテル、飲食街、オフィスの入るビルを作るというまちづくりの時代は終わりを告げたと感じています。今後、どのように都市の機能が変わり、地方の役割が変わっていくのか。そのビジョンを持つことは、これからどこに住むか、どこで働くか、どのようなビジネスをするかを考えるときにきっと役立つでしょう。アートは、そのビジョンをもたらすものの一つになると私は確信しています。

森の中に図書館があってもいい

これからの都市や地方は、それぞれ今までとは異なる役割を担っていくようにも感じています。そう思うようになったのはコロナ禍の前からで、さまざまな地方で芸術祭が開かれるようになって、アートは都心の美術館でなくても楽しめると実感したからです。芸術祭については次の章で触れますが、ここでは一つの作品を紹介したいと思います。

新潟県の越後妻有で開かれる「大地の芸術祭」には、ドイツのアーティストのトビアス・

レーベルガーが『フィヒテ（唐檜）』という作品を出しています。それは森の中に作った野外図書館であり、防水加工された本棚や椅子、ベンチがこぢんまりと並べられています。周辺の木と木の間にはロープを渡してあり、そこにランプがぶら下がっていますので、夜でも読書ができます。

私がこの作品を見たとき、図書館は森の中にあってもいいのだと思いました。この図書館ならどこへでも移動できるし、自動車を改造した移動図書館が行けないところでも開設できます。本の数は限られるかもしれませんが、期間ごとにテーマを設けたり、誰かに本をセレクトしてもらったりすれば、むしろそのほうが読書をしたくなるものです。この越後妻有の『フィヒテ（唐檜）』は、その後、アマゾンとも提携するようになりました。この屋外の図書館でいろいろな本をさまざまなシチュエーションで読むことができれば、読書の楽しさを新たに知る人は増えると思います。これは既存の図書館ではなかなかできなかったことです。

今後、図書館の役割や機能が都市と地方では少しずつ分かれていくのかもしれません。例えば、都市部の図書館はさまざまな本が読めるように大型化していき、地方では『フィヒテ（唐檜）』ような個性あふれる図書館が点在するようになっていく。実際にどうなるかは分かりませんが、地方の芸術祭に行くと、物事を考える視座のようなものを得られて、未来へのイマジネーションが膨らんでいきます。

都市がこれからどのような姿に変わっていくかを考えることは、とてもチャレンジングなことだと思います。都市が変われば地方も変わります。地方が変われば都市も変わります。その変革の方向性に関わるヒントがアートにはあり、そのヒントから社会が変わっていくようにも感じています。

「物の時代」から「心の時代」に変わっていく中で、都市も変化していくと私は予想しています。アートシーンを見ていると、その流れを強く感じます。第二章でアート作品が「物」から離れ出していることをお伝えしました。

第一章で紹介したサイエンスアートやテクノロジーアートのアーティストの多くも、アート作品の価値の源泉を「物」に込めることはしていません。真鍋大度さんは「物」を作るというよりは、テクノロジーを駆使して新しい表現を追求し、鑑賞者に新しい感覚を覚えさせようとしています。チームラボのデジタルミュージアムも、訪れる方はあの空間で味わえる感覚を求めているのだと思います。アーティストも鑑賞者も、「物」を見るのではなく、「経験」や「感覚」を優先的に求めるようになっているのです。

都市のコアの部分も「物」から「心」に変わっていくと思います。あるいは逆に、「心」

の部分を捨てて「物」に振り切って、新たな特徴を出していくのかもしれません。もしかしたら、都市に住む人が少なくなって、用事があるときにだけ訪れて泊まっていくような、昔の宿場町のようになっていくのかもしれません。いずれにせよ、都市の新しい仕組みを考えるとき、アートからいろいろな示唆を得ることができるでしょう。

アートは、新型コロナの感染拡大の前から、「都市とは何か」を問いながら、同時に「都市にはできないことが地方でできるのではないか」という問いを投げかけていました。そして、コロナ禍が世界を襲い、都市のあり方が問われることになり、社会がその必要性について考えるようになりました。経済や政治の中心地である都市は今後どのように変わっていくのか。ぜひアート思考で読み解いて見通していただければと思います。

第五章

芸術祭とは何か

アートが都市から離れていく

この章では、アーティストではなく、芸術祭について話したいと思います。すでに何度か触れてきましたが、改めてここで一つの章を割いて、日本の各地で開かれるようになった芸術祭の社会的な意義、あるいは私たちに投げかけているメッセージや「問い」について、私なりの考えを語りたいと思います。ここに、新しい社会を予見するヒントがあると思っています。

前の章では、コロナ禍の前からアートが都市について問うてきたと語りました。この芸術祭というアート活動も、同じ「問い」を発してきたと私は思っています。美術館などアートの施設があるのは主に都市です。美術品を鑑賞しようと思えば、たいていは電車などに乗って都市に行き、目当ての企画展が開催されている場所まで足を運ぶことになります。だから、都市から遠く離れたところに住む方たちは、アートに触れる機会が都市や近郊に暮らす方々と比べると、どうしても少なくなると思われます。

しかし、芸術祭というアートイベントが地方で開かれるようになって、都市部でなくてもアートを楽しめるようになりました。むしろその地域にある独自の環境の中でアート作品を鑑賞したほうが、より面白く、より興味深く、より印象深くアートに触れることができることを私たちは知ることになったのです。新潟県の越後妻有で開かれる「大地の芸術祭」や、瀬戸内海の島々で開かれる「瀬戸内国際芸術祭」、あるいは大分県別府市で開かれる「混浴温泉世界」などの盛況ぶりは、アートを見る場所が美術館に限らないことを証明しています。

アートは、２０２０年に深刻化したコロナ禍の前から、都市から離れていく動きを見せていました。機会があれば、いろいろな芸術祭を訪れるといいと思います。都市の必然性や地方の役割の変化を肌で感じることができるはずです。

例えば、芸術祭の草分け的存在の「大地の芸術祭」は、新潟県の越後妻有を舞台にして繰り広げられる広大なアートフェスティバルで、３年に一度開催され、毎回多くの人が訪れます。私がここに足を運んで最初に思ったのは、「地方のほうが都市部以上にアートが楽しめる」ということでした。

この「大地の芸術祭」は２０２１年の開催がコロナ禍で延期となりましたが、事態が収束すれば再び開催されることになるでしょう。地方の芸術祭に行ったことがない方は訪れてみることを強くおすすめします。越後妻有の素晴らしい自然の中で現代アートの作品に触れられると同時に、これからの日本の都市や地方のあり方、旅行のあり方、宿泊のあり方、休日のあり方、体験のあり方、ビジネスのあり方など、さまざまな示唆を得ることができると思います。

アートに地域性はない

地方の芸術祭を立ち上げて成功した例はいくつもあります。どうして地方の芸術祭は成功したところが多いのか。それはアートと地方イベントの親和性の高さにあるのではないかと思っています。アートは世界共通言語のような一面を持っています。ほとんどのアート作品は言語を使いません。ですから、どんな国や地方の人でも分け隔てなく鑑賞することができます。この特徴は、言語を用いる文学作品や映画などの映像作品にないものです。

また、地域性がないアートは、その特徴ゆえにローカルコミュニティにフィットさせやすい面があります。

例えば、前の章で紹介した森の図書館『フィヒテ（唐檜）』は、世界各地の森で展示できるでしょうし、作品の中の本を地域の特性に合わせて変えれば、その地域ならではの「問い」やメッセージを投げかけることもできるでしょう。同じく前章で紹介した

Chim↑Pomの作品『友情か友喰いか友倒れか　BLACK OF DEATH curated by 無人島プロダクション』（図4‐4、117ページ）も、外国の都市や地方でも展示することが可能です。その地域で問題となっている動物と人間を箱の中に入れれば、その地域特有の「問い」を投げかけることができるでしょう。遠藤一郎さんの応援アートも、言語のハードルは少しありますが、外国でもパフォーマンスすることは十分に可能です。どの地域でも応援するという文化や習慣がありますし、必要な言葉をいくつか習得すれば遠藤さんのパフォーマンスアートは十分に成立させられます。

このような作品作りをアーティストが実際にするかどうかは分かりませんが、私がここで言いたいのは、アートには地域性がないということであり、だからこそ世界中で展示や活動ができるということです。このアートの地域性のなさをうまく引き出したのが芸術祭だと私は思っています。芸術祭は、アート作品をローカルコミュニティにうまくフィットさせることで、新たなアートの鑑賞の仕方を提案しました。それが多くの鑑賞者の心をとらえ、そして地方の活性化にもつながったのです。

今後、さまざまなアーティストが、このような地方の芸術祭でローカルな「問い」を次々に投げかけるでしょう。もし、多くの鑑賞者や地元の方たちがそれに反応するようになったらどうなるでしょうか。芸術祭のアートをきっかけに、さまざまな人たちの意識が変わっていき、その地域社会が大きく変貌をとげるケースが現れるかもしれません。また、アーティストも新たな領域の作品を作るようにもなって、これまでにない「問い」を投げかけるようになるかもしれません。私は、そんなアーティストが現れないかとひそかに期待しています。

本来の芸術祭のあり方

私は芸術祭の活況ぶりを各地で見て、「アートがローカルをこれほど活性化するのか」と認識を新たにしました。このアートの力は、アートが持ち得る大きな社会的な意義の一つでしょう。地方の活性化は今の日本の大きな課題ですが、その解決策の一つをアートが芸術祭の成功で示したのです。アートはローカルの可能性を引き出す。その引き出された可能性は、ビジネスなどさまざまな分野にも広がっていくでしょう。どのような商売が発展するかは分かりませんが、そのヒントはさまざまな芸術祭の中にあるでしょう。

私は、芸術祭のコンセプトで何より重要なのはローカルを生かすことだと思っています。瀬戸内海で3年に1回開かれる「瀬戸内国際芸術祭」をご存じでしょうか。私はこの立ち上げのときに協力したのですが、その総合プロデューサーであり、瀬戸内海に浮かぶ直島を「現代アートの聖地」にした福武總一郎さん（株式会社ベネッセホールディングス名誉顧問／公益財団法人福武財団理事長）の言葉が忘れられません。「最初に笑顔にするのは地元の方たちだ。二番目に笑顔にするのは見に来ていただいたお客様とアーティストたちだ。君たち（スタッフ）の笑顔は最後でいい」。その通りだと思いました。この言葉は今も私の胸に刻まれています。

都市でも芸術祭は開かれますが、それを見に行くと、どことなく大きなグループ展のように思えてしまうのは私だけでしょうか。批判するつもりはありませんが、都市のアートフェスティバルにはローカルの方たちを笑顔にする要素があまりありません。そこに私はどうしても違和感を覚えてしまうのです。もっと地域あるいは社会に密接に関わって、その良さを生かしていくというのが本来の芸術祭のあり方だと私は思います。その肝心のところが、最近の都市での芸術祭を見ていると少し欠けているように感じます。

私は今、芸術祭が一度原点に立ち返る時期ではないかと思っています。コロナ禍を経てますます強くそう思うようにもなりました。前章で指摘しましたが、コロナ禍は都市の弱点を露呈し、少なくない人の意識を郊外や地方に向けさせました。ここで地方を生かし、地方の人々が喜ぶという原点を大事にした芸術祭を立ち上げれば、新しい社会のあり方を一つ示すことができると思うのです。

「何も残さない」芸術祭

第一章で少し触れましたが、私は２０２０年に山梨県北杜市で芸術祭「HOKUTO ART PROGRAM」を立ち上げました（毎年開催する予定です）。２０２０年は試行的な開催（エディション0）でしたが、複数の著名なアーティストたちに参加いただき、開催場所で作品を制作してもらったり、パフォーマンスアートをしてもらったりしました。私は、この芸術祭を開催するにあたって決めたことが一つあります。それは何も残さないということです。

地方で開かれる芸術祭では、開催期間が過ぎても著名なアーティストの作品が設置されたまま残されることがよくあります。畑の真ん中に突然アート作品があるという光景が風景化して、やがて観光名所のようになってアートが地方を活性化し続けます。これはこれでアートの力をうまく活用していると思います。

ただ、私は最近の芸術祭を見ていて、少し「アート作品を開催地に残せば会期後もうまくいく」というような安易さを感じるようになっていました。先ほども書きましたが、芸術祭で一番重要なのは地元の方が喜ぶことです。アート作品を安易に残すと、ともするとアートを一方的に押し付けてしまうことになります。

芸術祭のアート作品には、残してもいいものもあれば、残さなくてもいいものもあると思います。その判断は、芸術祭のプロデューサー・ディレクターやキュレーター、アーティストではなく、最終的には毎日のようにそのアート作品を見ることになる地域の方たちがすべきでしょう。

芸術祭でアート作品を展示するのは、美術館の場合とは異なります。美術館は、たいてい鑑賞者が自ら訪れて入場料を払って作品を見ます。この場合、鑑賞者もアート作品に対して能動的な気持ちや心の準備のようなものがあると考えられます。しかし、芸術祭では日常の風景の中にアート作品を置くことがあり、アート作品を見ようと思っていない地域の人が目にしてしまう可能性もあります。それで感動していただければいいのですが、逆の場合もあり得ます。芸術祭を開くときはそのような可能性を考慮して、地域の人たちに不愉快な思いをさせないように細心の配慮をすべきです。

私が、何も残さない芸術祭を開こうと思った一つの理由は、「アート側が押し付けるものはすべて正しいのか?」という「問い」を芸術祭を開く人たちに投げかけたかったからです。言葉を換えれば「パブリックアートとは何か?」という「問い」でもあります。そういう「問い」を意識して始めたのが、「HOKUTO ART PROGRAM」です。

参加いただいたのは、第一章で紹介したテクノロジーアートの真鍋大度さんや脇田玲さんをはじめ、現代アートチームの「EVERYDAY HOLIDAY SQUAD」やネオン・アーティストのＷＡＫＵさん、音楽家のＣｈａｒａさん、地元の波多野敦子さん、マイカ・ルブテさん、建築家の石上純也さんらアートシーンの最前線にいるアーティストの面々です。

真鍋大度さんには、第一章で紹介したように、神経細胞のデータを用いたプログラミングによる光のアート作品を作ってもらいました。安藤忠雄さんが設計した美術館の窓から放出される光線には、何か生命感のようなものを感じないではいられませんでした。ホワイトキューブの空間で実施するインスタレーションやパフォーマンスにおける限界を超えたと私は思っています。その他のアーティストの方たちにも、この芸術祭のために新しい作品やパフォーマンス、即興の音楽作品を披露してもらいました。どれも素晴らしいものでした。

この初めての「HOKUTO ART PROGRAM ed.0」の会期は、テスト的な開催だったこともあり、わずか１日となりました。また、その日が過ぎても残したアート作品は一つもありませんでした。アーティストも、作品を残す必要はないと考えてくれました。見てくれた方の心の中に強い印象や記憶を残せる自信があったのだと思います。

コロナ禍だったので多くの方を招くことができなかったのですが、地元の方にも来ていただきました。私が一番見たかったのは、この地域の方たちの反応でした。何も残さない芸術祭、言い換えると、印象と記憶だけが残る芸術祭を地域の方に喜んでもらえるかどうか。喜んでもらえたら、この芸術祭を続けようと思っていました。

「すぐに消える建築物」を依頼

この２０２０年の「HOKUTO ART PROGRAM ed.0」では、建築家の石上さんにも新たな作品を作ってもらいました。何も残さないというコンセプトの芸術祭なので、石上さんにも「何も残らないものを作ってほしい」とお願いしました。とんでもない依頼だったと思います。多くの建築家は、１日でも長く、できれば何百年も建ち続けるものを作ろうとするものです。しかし、この芸術祭では会期中に消えていく建築作品を私は見せたいと考えていました。そうすることで、芸術祭の原点だけでなく、建築における創作の原点も浮かび上がってくるのではないかと思ったのです。そんな建築ができるのは石上さんしかいない。そう思って相談したのでした。

石上さんも、真鍋さんのときと同じように、こちらの意図をすぐに理解してくれて「やってみます」と挑むように言ってくれました。そして、意欲的に作品作りを始めてくれて、芸術祭の当日に『ソラトツチニキエル』（２０２０年）（図５‐１、１４７～１４８ページ）が出来上がりました。

このアート建築物は、通常のビルの４階ほどの高さのある氷の建築物です。その中に木材の骨組みがあるのですが、完成後に点火して燃やすのです。空気の通り道もきちんと作ってあるので氷の中でも燃え上がり、その炎の中で大きな氷の建物が少しずつ溶かされて消えていきます。

この建物は構造計算もされていて、部屋のような空間はありませんが、立派な建物にほかなりません。施工も１週間ほどかけて木組みをして、その後に２日ほどかけて氷を設置し、削ったり水をかけたりして完成させました。

芸術祭が始まってしばらくしてから点火すると、炎が計算通りに立ち始めました。大きな氷の建物の上に炎が立つのです。そんな光景は、おそらくその場にいた人すべてが一度も見

図5-1　石上純也『ソラトツチニキエル』2020年、
HOKUTO ART PROGRAM

図5-1　同　© junya.ishigami+associates

たことがなかったでしょう。炎と氷と空気という相いれない自然物が作り出すアート建築物。炎の勢いが増すとともに氷の建物も美しく溶け始めました。さらに、建物の前のスペースで音楽家のＣｈａｒａさんが即興の音楽を奏で、ダンサーの高村月さんがパフォーマンスアートをしてくれました。炎が大きくなるにつれて、氷も激しく溶かされていきます。ときどき、大きな音を立てて部分的に崩れ落ちるのですが、それもまた音楽やダンスと相まって神秘的な光景となり、言葉では表せないほど切なく、はかなく、美しいものでした。

燃え尽きるまでの時間は1時間弱。私たちは6〜7時間ほどかけて氷が溶けていくように計算し試作品のモックで何回もテストしたのですが、実際のサイズでは炎の大きさが想定よりもかなり大きくなり、短時間で姿を消すことになりました。それでも、この作品は見た人の記憶に深く刻まれたと思います。ご覧いただいた方たちは一様に感動されていました。石上さん自身も、何かを強く感じている様子でした。

私も、はかなさと切なさというものをこれほど圧倒的なスケールで目の当たりにしたのは初めてでした。それは一瞬にして消えていく美しさなのですが、私はその光景をこれから何度も思い出すことになると確信しました。心の中に刻まれれば、何回でも心の中で思い起こすことができます。作品を見終えたとき、アートというのは本来こういうものではないかとも思いました。どれほど長く作品を残すのかではなく、どれほど人の心を揺るがし、その中で何を響かせるのか。石上さんがどのように思い考えていたかは分かりませんが、私は建築とアートの新しい扉が開かれたと感じました。

何よりうれしかったのは、招待した地元の方もこのアート建築作品を見てとても感動してくれたことです。言葉を失って、ただただ炎の中の氷の建築を見ている方もいました。その方たちも、この作品や美しく崩れていく光景をずっと覚えていることでしょう。

私はこの芸術祭に大きな手応えを感じました。「普通」の美術館や都市部の芸術祭ではできない、この場所だからこそできる、そして何も残さないアートイベント。今後、回数を重ねていけば、私はパブリックアートの一つの形を示すことができるのではないかと思っています。

すぐに撤収できるテントアート

芸術祭は本来、アートと開催地が密接につながりながら、お祭りのように一定期間だけ非日常の時間と空間が現出するものではないかと思っています。私は、その原点を追求していく芸術祭を作り上げたいと考えていて、さまざまなアイデアが頭の中にはあります。ここで一つだけお話しさせてください。

私は、新しい芸術祭を作るにあたって、設置や撤収が容易にできる特別なアート作品を用意できないかと考えています。単に現代アートの作品を置いたり撤去したりするのではなく、その設置や撤収もアートになっているようなもの。そんな作品であれば、地域の中で「アート作品なんて見たくない」と思っている方がいても、会期などの展示時期が過ぎたところですぐになくせます。そうなれば、地域の方々への精神的な負担を最小限に抑えることができます。

そこで、私が思いついたのは「テント」です。テントは、設置も撤収も簡単です。アート作品と呼べるような今までにないテントを作れば、見に来てくれた方やアート作品を見たいと思っている地元の方が喜んでくださるし、会期が終わればすぐに撤収できます。また、その地域で何かテントが必要になったときには、貸し出すこともできます。

私が6人ほどの建築家やアーティストに相談したところ、どの方も「面白い」と即答してくれて、作ってくださることになりました。この原稿を書いている時点ではまだ完成の形は見えていないのですが、途中段階の打ち合わせで見せてもらった形を見ると、かなり面白い作品になりそうです（図5‐2、図5‐3、153〜154ページ）。

実は、このテントをアート作品にしようという発想は、建築家の安藤忠雄さんからいただいたものです。私が関わっている清春芸術村で前々から能舞台を作りたいと思っていて、安藤さんに相談したことがきっかけでした。１９８０年に清春芸術村が作られたとき、その設立趣旨書の中に能舞台の設置が書いてあったのです。

ただ、実際にこれを作ったところで毎日使うものでもないし、積極的に能が観劇できる機会を作ったとしても月１回の上演が限度です。すると、能舞台を作ってもほとんど使われないと思いました。そのことを安藤さんに相談したところ、テントで能舞台を作ればいいではないかと教えてくださったのです。

例えば、まず清春芸術村にある庭園の一角に板の間と柱だけの空間を作り、普段はそこで来場者が寝そべったり子どもが遊んだりできるようにしておく。そして、能を見せるときは、テントの生地でグルグル巻きにして能舞台を簡単に作る。さらに、能が盛り上がってきたら、テント生地をとめているピンをはずすことで、生地をふわりと落として外の風景と能楽師を一体化させる。実に素晴らしいアイデアでした。

この能楽堂はまだ実現していないのですが、その話を聞いてからは、私は高い自由度があ

図5-2　建築家・永山祐子のテントプラン
「森の体験を切り取るテント DROP」
3Dスキャンデータ：ARCHI HATCH
©有限会社永山祐子建築設計

図5-3　建築家・長谷川豪のテントプラン
『大地を切り取るテント』
© Go Hasegawa and Associates

るテントを題材にしたアート作品をプロデュース・ディレクションできないかと、ずっと思っていました。それを今回の新しい芸術祭でやってみたら面白いのではないかと思い、建築家やアーティストに相談したのでした。

事前にテントについていろいろと調べたところ、基本的に実用性だけが追求されているものばかりで、デザインや楽しみの面から新しい形を作ったというテントはほとんどありませんでした。また、新しいライフスタイルが求められるようになったコロナ禍を経て、テントの可能性が潜在的に高まっているのではないかとも思っています。テントに住めば自由な移動もできます。テントを使った新しいアート作品を作れば、さまざまな「問い」を発信できると私は思っています。

「記憶だけを残す」アーティストは現れるか？

今後、社会のデジタル化にともなって、アート作品からも物質性が少しずつ失われていくように思います。この変化は、アート史における大転換点となるでしょう。

ただ、昔からアーティストは作品の物質性よりも人々の頭や心の中にあるものに対して何らかの影響を与えるために活動してきた面が強いと思います。その目的を果たすために物質的な作品が有利だったから用いたまでで、本質的に作品の物質性はアートの必要条件ではなかったと思うのです。したがって、たとえ作品を作らなくても人々に記憶をしっかり残せるというアーティストがいれば、その人は究極のアーティストに違いありません。

すでに、作品を残さないように活動するアーティストはいます。例えば、リクリット・ティラバーニャというアーティストは、展覧会などがあるとオープニングの日にカレーを作るというパフォーマンスをします。そして、会期中はそれを作ったときの調理器具や食器などを展示するのです。彼の作ったカレーはどこにもありませんが、鑑賞者は心の中でカレーを食べながらのコミュニケーションの欠片《かけら》を感じ取ることができます。とても面白く、興味深いコミュニケーションアートだと思いますが、それでもアーティストは何かしら二次的なものを作ります。そうしないと売るものがないからです。

記憶だけを作るようなアート作品を生み出すアーティストは、今のところまだいません。それに近い活動をしているアーティストは数人現れてきていますが、まだ「記憶だけ」という境地には達していません。しかし、いつか画期的な表現方法を見つけたアーティストが現れるでしょう。

私は、この新たなアートについて音楽に期待しているところが大いにあります。新たに立ち上げた何も残さない芸術祭においても音楽家を招いてさまざまなパフォーマンスをしていただきました。これは、この「記憶だけ」のアート作品につながるものがあると思ったからです。音楽というのは、アートの世界から見ると、「記憶だけ残す」という究極に近いパフォーマンスアートの側面があります。音楽は、本質的に何も残しません。音は空気の振動であり、聞き終えたらそこには何も残らないのです。それでも頭の中でその音楽のフレーズが残ったり、曲の一部が繰り返されたりします。歌が得意な人なら同じように歌えることもあるでしょう。ごく普通の現象ですが、考えてみればとても不思議であり、驚愕すべきことのように思えます。音楽という表現は、記憶と深い関係があるように感じます。

今、インターネットでサブスクリプションというサービスを利用すると、大量の曲をいつでも好きなように聴くことができます。ネット上に音楽コンテンツを大量に記憶させることで、このような便利なサービスが実現したわけですが、その代わりに私たちは音楽を記憶する必要がなくなりました。これは、アートの側面から言うと大きな損失になるように思います。

そこで、私が立ち上げた芸術祭では、即興でコンテンポラリーミュージックを作り出せる

Ｃｈａｒａさんなどの音楽家を招いて、その場で感じることだけを頼りに演奏してもらいました。楽譜もＣＤもデジタル情報もないので、その音楽は再現されることはありませんが、その場にいた方の頭の中には印象深く残ったと思います。少なくとも、私の頭の中にはしっかりと残りました。二度と聴けない音楽ですが、その記憶だけが、あの場の光景とともに残ったのです。

社会が情報化する中で、アート作品は物質性が希薄になり、一部のアート作品は音楽のようになっていくと私は思っています。このアート作品を取り巻く今後の変化は、物をやり取りするビジネスなどでも参考になるに違いありません。

消えてはならない建築もある

誤解のないように一つ言い添えたいのですが、私はアート作品のすべてが消えるものであるべきだとは思っていません。創作された価値あるアート作品は基本的にすべて残すべきです。建築物も、アート的な価値があれば現代のニーズに合っていなくても残すべきでしょう。
しかし、現実の社会では、古い建築物は経済的な合理性が少ないという理由で取り壊されてしまうことがよくあります。特に日本ではその傾向が強くあります。

最近では、電通の旧本社ビルの例があります。これは東京の築地にあった13階建てのビルで、建築家の丹下健三が設計して１９６７年に竣工しました（図５・４）。丹下が構想した壮大な東京開発計画を象徴するものであり、その後に続いた若手建築家らの「メタボリズム」という建築運動につながる作品でもあるので、日本の建築史、いや世界の建築史において重要な意味を持つ建物です。

図5-4　築地電通旧本社ビル
設計：丹下健三 1967年

しかし、この建物が大手広告代理店の電通の手を離れ、不動産事業者に渡ると、解体されることになってしまったのです。愚行だと思います。古い建物を大事にするヨーロッパではあり得ないことでしょう。フランスなら、建築家ル・コルビュジエの建物を壊すということはしないはずです。

建築には、消してはならないものがあるのです。なぜなら、その建物の背後にはアート的な価値や歴史的な価値があるからです。その価値は建物が存在することでのみ保有されます。この電通の旧本社ビルには、丹下の深い思想が込められています。丹下が描いた東京の開発計画は、今の言葉で言えばサステナブルなもので、現代の視点から見つめ直すことで多くのことを学ぶことができます。その建物を解体して撤去することは、そこに込められたアート性や歴史、思想の喪失を意味します。

日本の建築は海外からも高く評価されています。私は外国からやってきたアートコレクターを案内することがよくあるのですが、彼らは美術館よりも著名な建築家の建築物を見たがります。そんな価値あるものをどうして消してしまうのか。どうして、この国は自国の素晴らしい文化やアート的な価値を持つものを大事にしないのでしょうか。不思議でなりません。

ちなみに、メタボリズムの代表的な建築である「中銀カプセルタワービル」（東京都中央区：黒川紀章設計）も、解体されることが決まっています。「ＳＤＧｓ」という言葉を産業界からもよく聞きますが、価値のある建物を次々に壊していくのは「ＳＤＧｓ」のゴールに近づくことになるのでしょうか。

私は、電通の旧本社ビルの記憶をなんとか残せないかといろいろ考えて、そのエントランスに設置されていた大きな彫刻を移設するというプロジェクトを立ち上げて実行しました。

移設先は、私が理事長を務める公益財団法人 清春芸術村です。

ありがたいことに、この活動の趣旨に杉本博司さんと建築家の榊田倫之さんが設立した新素材研究所が賛同してくれて、プロジェクトの監修をやっていただけることになりました。この本が出版されるころには無事に移設が完了しているはずです。この清春芸術村には、何も残らず記憶だけが残るアートもあれば、決して消してはならないという思いを込めたアートもあります。いずれのアートも「作るとは何か」「残すとはどういうことか」という深い「問い」を投げかけてくれるでしょう。

「あいちトリエンナーレ問題」の何が問題か

本題から外れますが、２０１９年に開催された芸術祭「あいちトリエンナーレ」での出来事について、少し私の意見を述べたいと思います。この出来事については、語ろうと思えば本を１冊書けるほどの思いがありますが、ここでは私の考える芸術祭のあり方を明確にすることを目的に、簡単に記したいと思います。

２０１９年の「あいちトリエンナーレ」では、展示の一部だった「表現の不自由展・その後」が賛否を巻き起こして社会的に大きな話題となりました。この芸術祭は全体を取りまとめる総合ディレクターに美術畑ではない人を選ぶところに特徴があります。過去を見ても写真評論家・写真家の港千尋、建築評論家の五十嵐太郎、そしてメディア・ジャーナリストの津田大介といった面々が務めてきました。そうした人選によって、社会的な問題提起の機能を強めようとしているのは、一つの方針として「あり」だとは思います。

　イタリアのヴェネツィア・ビエンナーレではかつて、ドイツのアーティストのハンス・ハーケがファシズム批判の作品を出品し、最高賞の金獅子賞が与えられました。会場であるドイツ館の床に敷かれていた大理石を引き剥がし、瓦礫《がれき》となった大理石をそのまま配置しました。来場者によってそれらが踏まれるとバリバリと割れ、その響き渡る音で緊張感と恐怖心を表すという作品でした。直接的ではなく、五感へ訴えかける力によって、政治的な問題を表していく。これがアートで政治を扱うときの流儀ではないかと、私は思います。

　あいちトリエンナーレの「表現の不自由展」について私がまず違和感を覚えるのは、その表現があまりに直接的であるということです。直接的過ぎるがゆえに政治的メッセージが何よりも先に目立ってしまっているという印象を強く受けました。本書のこれまでに紹介したアーティストたちは、そのような直接的な表現方法は使いません。ときとしてユーモラスだったり、シニカルだったり、あるいは鑑賞者をハッとさせたり、ドキッとさせたり、今までにない表現で今まで味わったことのない感情を抱かせたり、今まで見たことのないものを見せて深く考えさせたりするのです。

本書で紹介したようなアーティストたちが直接的な表現をしないのは、普遍性を求めるからだと思います。極めて本質的な「問い」を間接的に鋭く投げかけ、鑑賞者がそれまでに思いもしなかったことを思わせる。その「問い」が急進的であれば、必然的に物議を醸します。しかし、その表現が本質的でありながらも間接的であれば、誰も傷つけられることなく、どのような鑑賞者でもその問いを感じ取ることができるようになり、頭の中にある意識の壁を乗り越えていけるようになります。

表現というのは、ときに人を傷つけます。私が「表現の不自由展」について個人的に思うのは、「もっと間接的に、ユーモラスでアイロニカルなものになっていたら良かったのに」というものでした。アーティストが自分自身のために作品を作って、それを自分の作品として展示することは、表現の自由として守られるべきことだと思います。ただ、それを「アートだ」と主張するのであれば、「アートの仕組み」をもっと作り込んでほしかった。そうしないと、鑑賞者はアートではなく、直接的な政治メッセージだけを受け取るようになってしまいます。

本書でも繰り返し説明してきましたが、現代のアートには「仕組み」が必要です。この仕組みがあるからこそ、ウォーホルやバンクシーの作品が優れたアートになるのです。むしろ、新しいアートの仕組みを作り上げたから、これらのアーティストはアート史に名前が残るのです。

それでも、あの作品の作者が自分のために自分の作品を作っていて、自分のアイデンティティやイデオロギーからあの作品を生み出し、それをそのまま展示したいと思う自由はあるでしょう。しかし、展示する場所は、不特定多数の方が訪れる公的な芸術祭ではなく、私設の美術館やギャラリーにとどめるべきだったと思います。芸術祭は言わば「お祭り（イベント）」です。不特定多数の人を対象にしていて、会場には老若男女、いろいろな思いを持った人が訪れます。特定のアーティストのアート作品を見ようと思って入館する美術館とは違うのです。

ただ、文化庁が展示内容の如何《いかん》によって助成金についての決定事項を覆すというのは、やはりあってはならないことです。それは、行政の一つである文化庁が「これはアート」「これはアートじゃない」と判断することであり、それが認められると、美術への政治的介入が進んでしまいます。それこそ表現の自由に触れることだと思います。このあいちトリエンナーレの問題で最も残念なのは、この政治的介入を呼び寄せてしまったことにあります。

「芸術祭とは何か」――。そんな「問い」を、結果的にあいちトリエンナーレは投げかけたのかもしれません。はっきり言えば、私は大きなグループ展のような展覧会ではなく、その地域で開催する意味を吟味していく必要が今こそあるのではないかと、この問題を通して切に思うのです。

第六章

〈観る〉から始める

アート以外のものから「問い」を感じる

アートに触れる意味、あるいは意義、価値、面白さ、楽しさ、魅力があるとすれば、それは何でしょうか。私はアートシーンの最前線を走るアーティストが投げかける「問い」を感じ取ることだと思っています。

アートシーンの最前線を走るアーティストのアート作品には、現代社会で考えるべき鋭い「問い」が必ず潜んでいます。鑑賞者はそれを非言語的に感じ取りながら、同時に今までになかったものの見方や感じ方、意識の壁、思考の幅を拡張していくことで、自分なりに「問い」に対する答えを探していくのです。

このようにアートに触れた経験は、その後の鑑賞者に多かれ少なかれ何らかの影響を与えます。その影響は、ときに鑑賞者の見方や発想、生き方にも及びます。それがアート作品がこの社会に存在する意味だと私は思っています。

「アート思考」というのは、このように「問い」を感じ取って自分なりに新しいものの見方や感じ方を身に付けて答えを探し出す力なのではないかと、私は思っています。現実の社会の中で今まで見たことも聞いたこともない物事や状況に直面し、それと自分の間に生じるズレや問題は何かを感じ取り、それを「問い」として受け止め、自分の立場や仕事、あるいは生き方やスタイルの中で答えを見つけて行動していく。そのことが、社会で以前よりも強く求められるようになっているとも感じます。

私は、アートに触れれば触れるほど「問い」を感じ取る力が身に付くと思っています。そして、この力が身に付くほど、アート以外のものからも「問い」を感じられるようになるとも思っています。また、私はアート鑑賞を繰り返していく中で、さまざまなものごとに対する直感力のようなものも身に付けてきたと思っています。例えば、初めての人や物を見るとき、新しいビジネスを始めるとき、あるいは新たな社会現象に触れたときに、無意識に近いところで新鮮な感覚や違和感のようなものに数多く気付けるようになったと実感しています。そして、その感覚は私が仕事をする上でとても役立ってきました。

おそらく、人は新しい気付きを得るとき、たいてい何かを見ているのです。本やメディアの記事を読んだり聞いたりして気付きを得ることもあると思うのですが、多くの場合、何か新たなものを見たときに、あるいは新たな角度でものを見たときに、新しい気付きを得るのではないかと感じます。

また、社会の中で新しい概念が生まれるときというのも、まず言語的でない状態があるのだと思います。その状態が社会の中でさまざまに作用する中で少しずつ言語化されて、やがて社会で共有される概念になっていく。まずあるのは現象であり、それを見るという体験があって、やがて概念化される。これは鑑賞者がアートに触れて「問い」を感じ取って考えるということにとても似ているように思います。

新しいものの考え方や感じ方を得るために、美術館に足を運んでアート作品を見てみる。そんなアート鑑賞が広まってほしいと願っています。アート鑑賞に「この作品はこうやって見る」というルールや作法はありません。ただただ、作品に向き合えばいいのです。そして自分が感じていることに意識を向ける。それが「観る」あるいは「鑑賞」ということなのだと思います。

私は、「観る」あるいは「鑑賞」というのは、自分の既成概念の壁を越えるための「眼差《まなざ》し」を自ら持つことであると思っています。また、アートはその眼差しを純化させる活動であるとも思います。

この章では、私が出会ってきた芸術家や作家などの方々がどのように観ていたかを伝えていきたいと思います。「観る」ことや「鑑賞」のヒントがそこにあるはずです。

白洲正子――「感じる」とは何かを教えてくれた

振り返ると、私は「観る」ということをとても大事にしてきたように思います。育った環境の影響も大きかったのでしょう。画廊を営んでいた父は、アーティストや作家の方を家によく招いていました。その方たちの振る舞いを私は子どもながらに間近で見させていただいたのですが、共通していたのは物をとてもよく観るということでした。

作家の白洲正子さん（１９１０〜１９９８年）もそんな物を観る力がとても強い方でした。白洲さんはよく父が経営していた銀座の画廊に遊びに来られて、夜になると私が車を運転して、東京の町田にある白洲邸まで送らせていただきました。この旧白洲邸は趣のある古民家で、白洲ご夫妻は「武《ぶ》相《あい》荘《そう》」と呼び、今も残されて一般に公開されています。

この武相荘までの道中、白洲さんは私にいろいろなことを話してくださいました。その会話の中で私が学ばせていただいたのは、「観る」というのは「何かを感じ取る」ことであるということでした。心を常に解放して自分なりに感じ取る。その大切さを白洲さんはよく説いていらっしゃいました。心の解放も簡単にできるものではなく、日々よく学び、自ら心を開く努力をする必要があるとも語っていました。

実際に、白洲さんは父からさまざまな作品を見せられると、ただ見るというより、感じようとしている様子がうかがえました。バックグラウンドの知識はとても多いのですが、初めての物を観るときはその知識に頼ることなく、まずは直感だけで観ているようでした。それはどこか、物と自分を共感させていく行為のようにも見えました。

白洲さんは、人に対しても自分から心を開いて何かを感じ取り共感していくようなところがありました。ですから、鋭い感覚や高い知性をお持ちなのですが、とても柔らかい雰囲気に包まれていて、多くの方に慕われていました。そんな白洲さんに私もついつい甘えてしまい、車の中でいつもいろいろな質問をしてしまいました。白洲さんは、そんな質問をする私が求めているものをいつも的確に感じ取ってくださり、こちらが求めている以上のものを毎回答えてくださいました。芸術に関する話以外にも、食事やお酒、海外のお話など、話題はさまざまに広がっていきました。ただ、どんな話をしていても、心を素直に開いて感じ取ろうとする白洲さんの姿勢が常に感じられました。正解だろうが、間違いだろうが、まずは自分の感じたものをそのまま意識することを大切にしている生き方がそこにはありました。

現代社会では、もしかしたら白洲さんのように心を開いて人や物を観て感じ取っていく姿勢が有効なのかもしれません。何かと情報が先行しやすい現代社会だからこそ、ますます白洲さんのような生き方が必要になっているようにも感じるのです。

小林秀雄――無心の目で見つめていた

文芸評論家の小林秀雄先生（1902〜1983年）からも物を観るときの姿勢というようなものを学ばせていただきました。小林先生も、父の画廊によく遊びに来られました。白洲正子さんとご一緒に来るときもありましたが、物の見方は小林先生と白洲さんでは大きく異なるのが印象的でした。

白洲さんの場合、先に触れた通り、見るというよりは直感で感じ取るような鑑賞の仕方でした。一方の小林先生の場合は、凝視するように鑑賞するのです。美術品に限らず、何かを観ると決めたら徹底的に凝視して、そのものの奥にある何かが見えてくるまで、とにかく観続ける。その間、一言も発せず、その対象をじっくりと観ていくのでした。

例えば、茶碗を観るときは、それを両手で持っていろいろな角度に動かし、いつまでも観ていらっしゃいました。そして、何か言葉を発しようとするのですが、すぐにその言葉を飲み込み、さらにまた凝視するのです。それを何度も何度も繰り返す姿を私はたびたび見ました。自分の好みの作品であろうとなかろうと、あるいは真贋《しんがん》が分からないものであろうとも、ただただ無心に向き合って観ていく。同時に、それを持ってきた人、そこに居合わせた人にも配慮しながら、何度も自分の中で言葉を作り直して、それから感想や意見を簡潔に静かに話されるのでした。

今思い返すと、そのときの言葉はいつも余計なものが一つもなかったように思います。見事に必要なものだけが洗練された形で並べられていました。しかも、固定観念のような決めつけがまるでないのです。画廊では分かったつもりになって話す人が多くいましたが、小林先生がそのような話し方をするのを私は一度も見たことがありません。

とにかく物の奥に潜む何かを見つけようとあらゆる角度から凝視して、それを伝えるために必要な言葉を見つけ出そうとしていらっしゃいました。鋭い眼光を放ちながら物を観る小林先生の表情には威厳があり、近寄りがたい怖ささえ感じました。そんな物の見方は「眼差し」という言葉がぴたりと当てはまるのではないかと、今となっては思います。

今の情報社会が悪いと決めつけるつもりはありませんが、情報が多くなり、何についても検索できるようになると、人はどうしても物事が分かったつもりになりがちです。アーティストやアート作品についても、インターネットで検索すれば、どのような評価や解釈をされているのかが瞬時に分かります。作品をよく観ずにそれを読んでしまえば、「こんな感じで理解すればいいんだ」と思ってしまい、それが思考の壁、意識の壁となり、物や人、社会現象、自然現象を観るという行為を雑にしてしまうように思います。インターネットで検索する前に、目の前にいる物や人をもっとじっくりと観て、いろいろな角度で感じたり考えたりしようとすれば、世界はもっと面白くなっていくのではないか。そう思うのは私だけでしょうか。

物の表面を見るだけでは、何も分からないのです。表面的なことだけを知っても、それは物事を理解したことにならないのです。小林先生が今も生きていらっしゃったら、もしかしたらそんなことを思ったのではないかと拝察します。物を観るとは、強い眼差しを何度も向けること。出てきそうな言葉があっても何度も飲み込み、浮かんできそうな思考があっても何度も打ち消し、あらゆる角度でどこまでも対象を見つめ直していく。そんな鑑賞からしか生まれない気付きや発見、言葉が、逆にマルチタスクの現代社会では希少性を持っているのではないかと、この数年私は強く感じています。

かつて、印象派を切り開いたセザンヌは見たものをそのまま描くのではなく、その自然の奥に潜む美しさを感じ取ってからキャンバスに描くことが重要だということを言っています。

情報社会だからこそ、あえて事前に何も調べず、気になる展覧会があれば、飛び込んでアート作品にじっくりと向き合ってみたり、社会で気になる人や物があれば、いろいろな角度で観たり思考したりしてはどうでしょうか。すぐに言葉にせず、どこまでも強い眼差しを向けていく。もしかしたら、今まで見えなかったものが見えるようになって、求めているものを見いだせるかもしれません。

東山魁夷――「観る」とは何かを教えてくれた

私は、日本画家の東山魁夷先生（１９０８〜１９９９年）の版画の制作をお手伝いしたことがあります。そのとき、アーティストの「観る」ことに対する真剣さを目の当たりにしました。

一時期、私はギャラリーの他に版画工房も営んでいました。そのときに、東山先生の版画作品に携わる機会を何回か得ることができました。最晩年の最後に近い作品で、その中には後に有名になった作品もあります。ただ、その工程はとても大変で、東山先生から数え切れないほどの「ダメ出し」をいただきました。もうヘトヘトで精根尽き果てそうになるほどだったのですが、それでも毎回驚かされたのは、東山先生の「観る」ことに対する厳しさでした。一枚の版画の色校正刷りを30分ぐらいかけて、本当に穴が開くと思えるほどに見つめ続けるのです。そして「ここがもう少し……」と、わずかな色の修正を指示するのでした。

おそらく、東山先生にはそこにはない色が見えていたのではないかと思います。その作品に一番ふさわしい色、それでなくてはならない色が見えていたからこそ、わずかな違いだけれど決定的に違うところを指摘できたのではないかと思います。また、東山先生は最初に見えてくる色、1分後に見えてくる色、5分後に見えてくる色の違いも知っていらっしゃったようにも思います。

私も、終わりの見えない作業の中で、東山先生と同じように色校正を工房の中でじっと見つめるようになっていきました。すると、本当に驚いたのですが、色が変わっていったのです。東山先生は、その揺れ動く色の中で、どうすれば求める色に到達できるかを模索されていたのだと思います。

版画は、色を巧みに重ねていくと深みが絶妙に出るときがあります。濁らず、色の奥行きが現れるのです。その奥行きのある色が現れると、色が時間とともに変わっていき、作品を支える色となり、いつまでも観ていられるようになります。大変な作業なのですが、東山先生の作品が生まれる瞬間を共にできるのはかけがえのないことだと思い、何度も刷り直しては何十分も見つめ、私なりに色の移ろいを確認していきました。

そうやって東山先生のアトリエに通い続けて「もうこれは先生からOKが出ないのではないか」と思い始めたときに、ついに東山先生からOKをいただくことができました。そのときだけは色校を見続けることはせず、一瞬で「これでいいです」と即断でした。たぶん、東山先生の目には求める色が見えていたのでしょう。その色が校正刷りと同じだったのですぐにOKを出したのだと思います。私はこのとき、なぜか私の色に対する見方に対してもOKをいただいたように思いました。

優れたアーティストは、作品を作っている時点ですでに完成したものを観ていると思います。作品を作り出す技術も重要なのですが、アーティストにとってより大切になるのは、まだこの世界に存在していないものを「観る力」ではないかと思います。第一章で紹介したライゾマティクスの真鍋大度さんにも東山先生と同じような「観る力」を私は感じます。彼の創作を間近で観ていると、その目の中でもうすべてが観えているようなのです。

この世にないものを観る。それはインターネットを検索しても出てこないものです。イノベーションというものが、まだこの社会に存在していない画期的なものを作ることを意味するのであれば、それを作り出せる人はアーティストのように、まだこの世にないものを観る力がある人だと思います。その力を身に付ける一つの方法は、アートに触れることだと私は思います。

倉俣史朗 —— 観た映画を拡張する

ないものを観る力については、倉俣史朗さん（１９３４〜１９９１年）からも感じたことがあります。倉俣さんはフランス文化省芸術文化勲章を受章した国際的なインテリアデザイナーです。私は、東京の西麻布にある「三《み》保《ほ》谷《や》硝子《がらす》店《てん》」の社長にご紹介いただいて、直接ご本人にお会いしたことがあります。

きっとデザインやアートの話をたくさんされると思ったのですが、予想に反して倉俣さんは映画の話ばかりをされました。そのとき、とても印象的だったのは、あるＳＦ映画の話でした。私もその映画を観ていたので、倉俣さんがどんな観点でその映画を観たのかがよく分かり、とても興味深く拝聴していました。

しかし、しばらくお話を聞いていると、「あれ？」と思うことがたびたび出てくるようになりました。簡単に言うと、その映画にはなかったシーンを、まるで実際にあったかのように話すのです。私をからかっているとか、うそをついているというわけではありません。本当にそんなシーンを観たかのように語るのでした。しかも、その倉俣さんの独創シーンがあったほうが確かに面白いのです。私は心の中で「倉俣さんは映画を観ながら別の何かを観ている」と思いました。

それからの私は、映画を観て気に入ると、観終わってから自分の頭の中でシーンを勝手に作り上げてその映画に組み込むことをひそかに楽しむようになりました。すると、その映画がもっと面白くなって、改めて感動できたりするのです。ぜひ、一度試してみてください。想像を広げる楽しさを味わえますし、思考のスケールを拡張させていく醍醐味《だいごみ》のようなものを感じることができます。

映画以外にも、例えばニュースを見たり聞いたりしたときも私は同じような独創をします。例えば、原子力発電所から放射性物質の入った水が海に流されるというニュースを耳にしたら、その水がどのように広がっていくのかと想像したり、国内外の人々はどのような反応をするのかとイメージしたり、地元の方々はどのような気持ちを抱くのかを想像したり、その原発の電力を使っていた人たちはどのように思うのかとイメージしていくのです。

もちろん、その想像には限界があり、現実とは違うことをイメージしてしまうこともあります。しかし、ニュースになかったところまで感じ取ろうとすることで、「(報道の裏側で)実際は何が起きているのか」という問いを持てるようになります。ときには、「もしかしてこんなことを思っている人がいるかもしれない」と、普段は考えが及ばないところまでイメージできたり、しかもそのイメージが現実と合致したりすることもあります。

ニュースを見て、想像し、問いを持ち、「もしかしたらこうかもしれない」と自分なりに答えを模索する。それはやはりアート作品と向き合うことに似ていて、これも一つの「アート思考」の実践と言えるかもしれません。「アート思考」でニュースに接することができれば、社会にどんな問題があり、どのように時代が流れているのかが見えてくるようにも思います。それがビジネスや仕事でどう役立つかは分かりませんが、この社会を見通すような力をもたらしてくれると私は思っています。

誰でも「アート」はできる

物事を深く観ていき、その奥底にあるものを見いだし、そこから何かを感じ取り、そこにないものをイメージしていく。アートは、この「観る」ということから始まるのではないかと私は思っています。さらにそこに人々の心を揺さぶる「問い」を見いだせれば、アートとして成立する可能性が生じます。

ただ、アート作品を実際に作るには技術が必要です。自分のイメージ通りに絵を描くのは簡単ではないでしょう。写真を撮るにしても、自分の伝えたい像が現れるように撮影するのは、やはり難しいものがあります。

しかし、アーティストになりたいと思わないのであれば、技術はいりません。頭の中でアート作品をたくさん作ればいいのです。「こんなアート作品があったら面白いかもしれない」と創造的な空想をすればいいのです。仲のよい人にだったら「こんなアート作品を思いついたんだけど、どう思う?」と話してもいいかもしれません。そこから今までにない対話が始まれば、クリエイティブな何かが生まれるでしょう。自分の生活や仕事、日々の暮らしを豊かにするために、空想アートを楽しむ習慣を身に付けてはいかがでしょうか。

ところで、オノ・ヨーコさんは、一般にはビートルズのジョン・レノンと結婚した日本人として知られていると思いますが、彼女は類いまれなアーティストの一人です。彼女の創作した『グレープフルーツ・ジュース』という作品は見事なコンセプチュアルアートで、まさに頭の中でアート作品を作り、それをそのまま形にして伝えることに成功しています。
『グレープフルーツ・ジュース』は、本の体裁をしたコンセプチュアルアートのような形になっています。例えば、「空にドリルで穴をひとつあけなさい。穴と同じ大きさに紙を切りなさい。その紙を燃やしなさい。空はピュアなブルーでなければならない。」（『グレープフルーツ・ジュース』オノ・ヨーコ、講談社文庫より）と指示文が書かれているなど、その各ページにさまざまなアートのアイデアが書かれていて、イメージの無限の可能性を感じさせてくれます。

オノ・ヨーコさんは、この作品で技術を使わなくてもアートができることを示しました。それは空想に近いやり方なのですが、アートの力を自分に内在させるやり方を多くの人に教えたと思いますし、その意味でこの作品はアート史に残る画期的なものだったと思います。

アーティストでない人でもアートができるのです。皆さんも、ぜひ頭の中でアート作品をたくさん作ってください。心を解放して、じっくりと観て、自分が純粋に感じていることに意識を向け、想像する。そして、深度のある「問い」を見つけ出せたら、それをいかに形にするかを考えてみましょう。空想するだけでいいのです。そんな創造的な空想が、意識や思考、想像を拡張してくれるはずです。

皆さんもアーティストになってみませんか。「自分がアーティストになるなんて想像もできない」と遠慮する必要はありません。アーティストになるのに資格も免許も必要ないのです。「私はアーティストだ」と思えば、その時点で「アーティスト」です。それをオノ・ヨーコさんは示したのです。社会があなたをアーティストと認めるかどうかは二の次の話。まずはアーティストになると決めること。そして「問い」を自分なりに発信することです。

現代社会は、実はそんなことを人々に求めているのではないかと私は思っていたりします。今、あなたがどんな状況にいようと、何歳であろうと、ぜひ挑戦してください。そして、自分自身の可能性を探求する「問い」の旅を楽しんでください。そうすれば、乗り越えられなかった壁をいつの間にか乗り越えているかもしれません。アートはそんな壁を越える力を、誰に対しても与えてくれるものです。

終章

アート思考とは「問い」である

アートの本質は「表現」ではなく「問い」にある

本書のテーマである「アート思考」について、この最後の章で私なりの考えを記してみたいと思います。

優れたアーティストは優れた「問い」を社会に発します。それゆえに社会から求められるアート作品になるのだと私は考えます。私がいくつかのプロジェクトを共にやらせていただいた杉本博司さんの作品に『劇場』シリーズがあります。さまざまな映画館のスクリーンを上映中に撮影したものなのですが、単に映画館の中を撮影した写真ではなく、１本の映画が流れているスクリーンをカメラで撮るのです。映画が始まったときにシャッターを押し、終わったところでシャッターを閉じる。つまり、映画が投影されている間、ずっとシャッターを開けたままにして１枚の写真を撮影するわけです。

このように撮影すると、出来上がった写真のスクリーンは必ず真っ白になります。どんな映画でも、どの映画館で撮影したスクリーンでも、例外なく白くなります。まるで暗い劇場の中で白いスクリーンが浮かび上がるような写真なのですが、そのスクリーンにはいろいろな１本分の映画が流れています。

Hiroshi Sugimoto
U.A. Walker, New York
1978
gelatin silver print

そう思ってこの写真を見ると、とても不思議な感じがしてきます。静止した写真であるはずなのに、動いているように感じられて、私だけかもしれませんが、自分の頭の中でいろいろな思いやイメージが現れては消えていきます。生まれて初めて観た映画、最初に家族で観た映画、好きな人と観た映画、思い出に残っている映画、そんな記憶が去来するのです。杉本さんの作品の中の白いスクリーンは、鑑賞者に合わせていろいろなものを映し出す不思議なスクリーンなのです。

この一連の作品には「時間とは何か」「見るとはどういうことか」「そもそも写真とは何か」という問いが潜んでいるように感じます。私はこの杉本さんの作品がとても好きです。素晴らしい「問い」を生み出している作品は素晴らしいアート作品であり、美しい「問い」を作り出している作品は美しい作品であるものだと、杉本さんの作品を見る度にそう思います。

作品を見て何を感じるかは、鑑賞者にゆだねられます。私は、どんなアート作品やパフォーマンスアートからも「問い」を感じますし、その「問い」の強さや画期性、洗練具合などで作品を鑑賞し、ときに評価します。これまでアートディレクターとしてやってこられたのも、作品が発する「問い」を感じる力があったからだと思っています。

そのアート作品にはどんな「問い」があるのか。アート作品以外でも、目の前にあるもの、この社会で起きている現象には、どんな「問い」があるのか。目の前にいる人、一緒に仕事をする人、この社会を動かしている人には、どんな「問い」があるのか。どんな「問い」を持っているのか。私は、そんなさまざまな「問い」を日々感じ続けています。

アートもビジネスも「問う」者がゲームチェンジャーとなる

アート作品に秘められた「問い」が洗練されていて、かつそれが時代を画するような「問い」であれば、アートシーンでは高く評価されて、マーケットでも高値で取り引きされるようになります。バンクシーがその典型例であることについては第二章で話しましたが、彼はアート作品の価値の付けられ方をよく理解していて、ある面で策略的に作品を作っているところがうかがえます。ただ、策士の面を持つバンクシーですが、それでも彼の新たな問いの投げ方は洗練されていますので、社会的に高く評価されるのは間違いではないと思います。

アートシーンでは、ゲームチェンジャーのアーティストが高く評価されるのです。この傾向はアートシーンに限ったことではないでしょう。ビジネスでも同じで、例えば「ＧＡＦ

Ａ」と呼ばれる米国のトップＩＴ企業も、新たなビジネスのやり方を作り出し、ゲームチェンジャーになったからこそ今の地位を得たのだと思います。そこに至るにはさまざまな要因や経緯があったと思いますが、少なくとも彼らが作り上げたビジネスモデルはそれ以前にはなかったものだと言えるでしょう。

　このＧＡＦＡも新たな「問い」を社会に投げかけたのです。小売や消費、ビジネス、ネットワーク、行動、文化、知識などのあらゆる人間活動がインターネットの中でデータと結び付いたらいったいどうなるか。そんな「問い」を見いだしたと言えるように思います。もちろん、社会的に前代未聞のことをすれば、そこに社会的な「問い」が生じるのは当たり前のことでしょう。かつて自動車が発明されて、それを社会で普及させようとする企業が現れたときは、多くの家庭が自由に長距離移動できる機械を持ったら社会はどうなるか、という「問い」を見いだすことができたでしょう。

　ここで私が言いたいのは、アートから学べることはたくさんあるということです。その一つはゲームチェンジのやり方でしょう。高く評価されるアーティストがどのようにゲームチェンジをしたのかを見ることで、例えばこれからのビジネスの参考になることが少なからずあるはずです。アートは社会的な問題をいち早く感じ取り、その既成の価値観を社会の中で最初に揺さぶろうとします。そこに次の時代に関わるヒントを得ることができるのです。

バスキアの後にソニーの「ウォークマン」がヒット

私の好きなアーティストの一人にバスキア（１９６０〜１９８８年）がいます。この「ストリート・アートの巨匠」と呼ばれるアーティストもゲームチェンジャーの一人です。

バスキアの画期性は、アートを街に持ち出したことです。また、美術大学などで美術の専門教育を受けなかったアーティストでもあり、人種的マイノリティのアーティストでもあります。その創作スタイルや作品には、時代を画す「問い」がいくつも潜んでいます。「アートを紙やキャンバスに描く必要があるのか」「アートは美術館のホワイトキューブなどの屋内やギャラリーに飾らなくてはいけないのか」「アーティストと呼ばれるには美術教育を受けなくてはならないのか」という、それまでのアートの常識をひっくり返す「問い」をバスキアはいくつも社会に投げつけました。おそらく本人はその「問い」を意識していなかったと思いますが、その作品性と「問い」が時代にぴったりと合ったのです。

当時、時代的に若者がストリートに出て活動する流れがありました。いわゆる「ストリート文化」です。１９７９年に発売されたソニーの「ウォークマン」も、そんなストリート文化の花開く中で現れた製品でした。これは携帯型音楽プレーヤーの原点とも言えるもので、カセットテープという小型の磁気テープに記録させた音楽を再生できる小さな機械で、世界的な大ヒット商品となりました。

今、私たちは外出中に音楽をヘッドフォンで聴いたりしますが、その文化というか新習慣を作ったのが日本のウォークマンだったのです。この製品が登場するまでは、音楽は部屋の中で聴くものでしたが、この小さな機械が登場してからは外でも音楽を聴くようになりました。街路でヘッドフォンをかけて音楽を聴く若者の姿は、新たな社会現象にもなったほどです。

この製品からは、例えば「音楽は部屋の中だけで聴くものなのか」という「問い」を見いだすことができるでしょう。もしかしたら、スマートフォンの原点の一つはこのウォークマンにあるのかもしれません。そこには「コンピューターは部屋の中だけで使うものなのか」という、ウォークマンに似た「問い」が潜んでいるようにも思えます。

ウォークマンを作ったメーカーの方たちは、おそらくバスキアの作品にインスピレーションを受けたわけではないと思いますが、アート作品と社会の変革を起こす製品の背景にはいつも同じような「問い」があったと見いだすことができます。だから、アートシーンの最先端を走るアーティストから「問い」を感じ取ることができれば、例えばビジネスなどで新たな製品やサービスを作り出すときのヒントをつかめることもあると思うのです。

　バスキアは若くして亡くなりましたが、結果的にアートの流れを意図せず大きく変えることになりました。同じようにソニーのウォークマンも、機械と人間の関係を大きく変えることになりました。どちらもイノベーティブな存在だったことは間違いないでしょう。

　現代ではイノベーションを待望する大きな声が産業界から毎日のように聞かれます。アートが関わることで、何か見えない壁を突破するようなものをもたらすことができないかと、日々、思案しているところです。具体的な形は見えませんが、模索する価値はあるでしょう。

　余談ですが、近年、バスキアの作品の価値を大きく上げた日本人がいます。オンライン・ファッションストアの「ＺＯＺＯＴＯＷＮ」を立ち上げたことで知られる実業家の前澤友作氏です。彼はオークションで次々とバスキア作品を競り落とし、２０１６年には『デビル』と呼ばれる作品を５７００万ドル（日本円で約60億円）で落札して話題となりました。これは当時のバスキア作品の最高値で、相場を知るアート関係者は驚くばかりでした。このおよそ半分ぐらいというところがバスキア作品の流通価格でした。

前澤氏は翌2017年にもバスキア作品をオークション経由で購入。こちらはさらに高額で、落札価格は約123億円でした。こうしてバスキア作品は2016年以降に高騰しました。新たなビジネスで成功を収めた前澤氏は、アートに対しても、それまでにないやり方でアプローチをかけてきました。その対象となった作品が、やはりそれまでにないやり方で絵を描くアーティストの作品だったことは偶然ではないように思います。

バンクシーの後にアップル「iPhone」がヒット

アートディレクターの私から見て、アートとビジネスに共通しているところがあるとすれば、それは「仕組み」に関わるところです。どちらの分野も高評価を得るのは、いつも「仕組み」を革新した者だと言えるでしょう。

例えば、実業の世界では、ソニーはウォークマンを作り、トヨタはハイブリッド車を作り、アップルはiPhoneを作り、グーグルは確度の高い検索システムを作ることで社会から大きな評価を得ました。また、アートの世界では、バスキアがストリートアートを作り、バンクシーが社会的な新たなアートを作り、ビープルがデジタル時代のアートを作り出すことでアートシーンから高い評価を受けました。繰り返しになりますが、共通しているのは、それまでのビジネスモデルやアートの仕組み、言い換えれば枠組みや文脈、流れ、常識を超えてゲームチェンジをした者たちであるということです。

「仕組み」は、時代の変化とともに革新が求められます。誰がいかに革新するか。それはビジネスもアートも同じであるように感じますし、アートのほうが少し先を行くようにも感じます。新たな製品やサービスを作るにはどうしても時間がかかりますが、アートの場合は、作品や制作手法にもよりますが、短時間で作ることが可能です。

例えば、バスキアがアートシーンに現れたとき、ソニーのウォークマンが後にヒットしました。バンクシーが社会の注目を浴びたときは、アップルのiPhoneが後にヒットしました。それでは、ビープルがアート界の最高値を付けた今はどうでしょうか。もしかしたらその作品に対応するような製品がやがて現れて、世界的にヒットするかもしれません。また、今後はテクノロジーアート、サイエンスアート、バイオアートが高い評価を得るようになると私は思っていますが、もしそうなれば、そのアートに対応したものがビジネスの世界でもきっと現れることでしょう。

もし「仕組み」を革新する力を養いたければ、アートに触れるのが一番いいのではないかと思います。美術館などに行けば、その実例がたくさんあります。最先端のアートシーンを見てみれば、今どのような作品が高く評価されているかがすぐに分かるでしょう。イノベーションのヒントは、アートにあると私は思います。

アート思考とは「問い」である

アートとは「問い」である。そして、「アート思考」もやはり「問い」であると思います。「問い」は、未来という新しい時代における新しい価値や考え方の提案でもあります。つまり、アートもアート思考も、「問い」を自ら作り出して多くの人に伝わるように表現することであり、その「問い」が画期的であれば、社会の「仕組み」を大きく変えるゲームチェンジの原動力になり得るのです。

アートに限らず、時代を画した製品やサービス、出来事、社会的な事件や現象には、多くの人の心を揺さぶる「問い」があるものです。近年、ビジネスの世界では「問題解決」という言葉がよく聞かれますが、もしかしたら重要なのは「解決」ではなく、「問題」の中にある「問い」なのかもしれません。実は、イノベーションは「解決」ではなく、そんな「問い」から生み出されるものなのかもしれません。

第一章で紹介したバイオアーティストの作品からヒントを得れば、「人が人以外の動物を産んではいけないのか」という問いや「女性のカップルから生まれた子どもがいてもいいのではないか」という問いを持つことができます。その問いを持つことによって拡張された未来観は、時代と社会を変えるイノベーションにつながるように感じます。アートは、そんな時代の革新を促すさまざまな「問い」を私たちにいち早く投げかけます。それを受け取り社会で生かす思考こそが「アート思考」ではないかと私は思うのです。

ぜひ、積極的にアートに触れて「アート思考」を身に付けてほしいと思います。そして、自分でも「問い」を作って表現してみましょう。前章で紹介したように、頭の中だけでも構いません。オリジナルの「問い」を持って人々を元気にするようなものを作ろうと想像し続けていけば、やがて普段の仕事や生活がアートのようになっていくはずです。そのとき、今までなかったものが新たに作り出せるはずです。

アートとは「問い」である。未来に向かって生きることは「問い」の模索である。この原点を見直すことが、これからの社会で一番求められるようになると私は思っています。今、社会が世界規模で大きく変わろうとしています。今後、デジタル技術がますます進展し、私たちの生活を根底から変えていくでしょう。もはや、10年後の未来さえ、ほとんどの人は予想することができないほど、変化のスピードが上がっています。

しかし、あえて「アートがある限り大丈夫です」と私は言いたいと思います。なぜなら、未来社会においても、そこに人間がいる限りアートがあるに違いないからです。有史以前からアートは人類とともにありました。人類はアートなしでは存在できないのです。それは歴史が証明しています。これからもアートは人類とともにあり続け、人間性を問うような社会的な問いを投げかけていくでしょう。未来の社会においてもアートは不滅であり、アートと、それに触れる人々がいれば、いつもそこに明るい未来はあるはずです。逆に言えば、アートの表現の自由を守っていくことは、より明るい未来を作ることにほかなりません。

今、社会のデジタル化で多くの人は息苦しくなっているように思います。その変化の中で、私はアートの必要性がとても高まっているとも感じています。それは、社会を支える多くの人々が人間性のバランスを取ろうとしているのではないかと私は思うのです。ビジネスを含め、この現代社会のあちらこちらで人間性あふれるアートが強く求められるようになっている。そんな社会的な背景が「アート思考」という言葉を生み出しているようにも思います。

もしかしたら、これからの時代は、アートはもはやアーティストだけが作るものではなくなっていくのかもしれません。多くの人が自らアート的な「問い」を持つようになり、デジタル技術などで社会に「問い」を投げかけるようになるのかもしれません。

もし多くの人がアート的な「問い」を持って生きるようになったらどうなるのか。そんな「問い」を最後に提示して、筆を擱《お》きたいと思います。想像の自由、思考の自由、問う自由……、ときには迷子になるかもしれませんが、それも良いでしょう。自分自身の可能性を信じて、「問い」から始めるアート思考を、ご自身の生活の中に取り入れていただきたいと願っています。

おわりに

良いアート作品は、長きにわたって見ていると動き始めます。

写真家の土門拳は、仏像を撮影する際に、仏像に対して徹底的に向き合い、朝の光、曇りの昼の光、雨の日の夜の光を受けて仏像が表情を変えていくところをとらえ、「仏像が動く」と言ったそうです。アート作品との末長い付き合いも、このように感性を触発し、鑑賞者の生きる歓びとなると私は思っています。

最後に、皆さんに一つおすすめしたいのは、自分でアート作品を買ってみるということです。無理に高価なものを買う必要はありません。無名に近いアーティストの安い作品でいいのです。自分が直感的に「良い」と思う作品を一点買ってみましょう。できれば、転売のセカンダリーマーケットではなく、展覧会を楽しみながらプライマリーマーケットで購入するのがいいでしょう。そして、いつも見えるところに飾るのです。その作品に長い間親しんでいくと、いつも見ているはずなのに初めて見えてくるものが現れるようになります。朝、昼、夜、雨の日、晴れの日、うれしい気持ちのとき、悲しみに沈んでいるとき、さまざまなタイミングで見てみましょう。すると、少しずつその作品が自分の心のものになっていきます。

せっかくなので、私なりのアーティストの見方についても、お話ししておきたいと思います。作品を買うときに役に立つと思います。大きく分けて三つあります。

一つ目は、作品がただ美しいというだけでなく、そのアーティストに将来的な広がりが見えるかどうかという観点です。アーティストは、一つの作品の完成、一つの展覧会の成功で終わるわけではなく、生涯をかけて制作を続けなければいけません。現時点で完成度が高く魅力的な作品を作っていても、すぐに方向性に行き詰まってしまうこともあります。私が作品を選ぶときは、たとえ荒削りで未完成であっても、これからの展開の可能性が見えるアーティストの作品を選ぶようにしています。

二つ目は、そのアーティストが、美術史の流れの中で、あるいは自分が依《よ》って立つ社会への問題意識において自ら新しいチャレンジをしようとしているかどうかです。社会への問題意識を持つというのは、いわゆるジャーナリスティックな意味での社会問題に取り組むということではなく、一人の表現者として、社会的な状況の変化を自らの視野の中でとらえ、その変化に感応するということです。このチャレンジが、例えば新たな方法論や技法、社会への独自のアプローチに結び付いていきます。

ただ、こうした新たなチャレンジは、ともすると独りよがりなものになりがちです。そうならないためには、アーティスト自らが美術の歴史や社会状況に対する研ぎ澄まされた感受性を持っていなくてはなりません。過去を学ぼうとしないアーティストほど過去のアーティストの作品の焼き直しを知らずにしてしまっている、というのは実にありがちな現象です。

三つ目は、自分自身のアーティストとしての社会的な立ち位置の確認です。自己が依って立つすべてのものに眼差しを向けることは、制作行為と社会をつなぎ止める命綱のようなものです。自己の作品に対する他者の眼差しを得ようとするものは、必ずそれに先んじて自分自身をよく見つめることが必要なのだと思います。自らのアイデンティティに対する確固とした認識があれば、それはさまざまな表現方法にチャレンジする自由をもたらします。自分の足もとを見つめる素直さが、新たな表現世界へのアクセスを可能にするのです。

もう一つだけ、私が今抱いている「問い」をお話しさせてください。世界における日本のアートマーケットについてです。とても強い危機感を抱いています。

昨今、日本のアートやエンターテインメントにおける国内外のマーケットの規模を比較する際、韓国が例に挙げられることがよくあります。日本と韓国のアートの輸出額の違いをご存じでしょうか。実は、韓国のほうが大きく、0が一つ違うくらいの開きがあるのです。

分かりやすい例は、映画やエンターテインメントです。２０１９年公開の『パラサイト　半地下の家族』が第72回カンヌ国際映画祭で韓国映画初となるパルム・ドールを受賞し、米国の第92回アカデミー賞においては作品賞、監督賞、脚本賞、国際長編映画賞の最多4部門を受賞しました。今年の第93回アカデミー賞では、『ミナリ』のユン・ヨジョンが助演女優賞を受賞するほか、ＢＴＳなどのミュージシャンも世界的な成功を収めていると言えるでしょう。

この韓国の成功はどこから生まれているのでしょうか。それにはさまざまな要因があると思いますが、第一の要因は、国が輸出産業としてアートやエンターテインメントに力を入れていることだと私は思っています。アートやエンターテインメントの分野に多様な支援を実施し、税制面でも優遇を図っています。

私は映画監督の河瀬直美さんと親しくさせていただいているのですが、アカデミー賞の選考・審査期間中、韓国は積極的に投票資格のあるアカデミー会員に向けて国を挙げてのロビー活動を展開していると話していました。日本は、残念ながらそんなロビー活動をする資金はなく、河瀬さんはいつも孤軍奮闘しているそうです。私はその話を聞いて悔恨の思いを抱きました。

このようなロビー活動が良いのか悪いのか、きっとさまざまな考えがあると思います。しかし、推しの作品の良さを多くの人に伝えることは決して悪いことではありませんし、作品は見てもらわないとその価値が伝わりません。自国のアートやエンターテインメントを国が推すという支援をするのは、このグローバル社会においてはとても重要なことではないかと私は思います。日本が大きな輸出産業となる可能性を秘めるアートやエンターテインメントにもっと力を入れてくださることを切に願います。

私は、才能豊かな日本のアーティストたちが世界で活躍する可能性は十分にあると確信しています。それはこれまでの日本のアートシーンを見ても分かります。高校卒業後、海外での活躍の場を求め、他に類を見ない研ぎ澄まされたコンセプチュアルアートを確立した河原温（１９３２〜２０１４年）。女性が独りで海外へ行くことすら珍しかった時代に単身でニューヨークに渡ってパフォーマンスアートに取り組み、自らの独特な作風を確立した草間彌生（１９２９年〜）。まだ写真家になるとは決めずに海外へ旅立ち、世界トップクラスの写真家となり、アートだけにとどまらず、建築や舞台演出など自分自身の才能を拡張し続けている杉本博司（１９４８年〜）。ロックフェラー財団のＡＣＣグラントによりP.S.1 ART PROJECTの招待を受けて海外に招かれ、自分が世界で戦うためのアートを再確認して自らキュレーションし、コンテクスト作りまで活動の一部とし、成功した村上隆（１９６２年〜）。

　ファッションの世界でも、国の支援に頼らず世界で活躍し続けている方たちがいます。COMME des GARÇONSの川久保玲、Yohji Yamamotoの山本耀司、近年では世界で最も注目を集め、私の友人でもあるsacaiの阿部千登勢、他にもUNDERCOVERの高橋盾《じゅん》、kolorの阿部潤一などがいます。

　建築の世界においても安藤忠雄、磯崎新、ＳＡＮＡＡ、私のいくつかのプロジェクトで一緒に仕事をしている石上純也、田根剛などがいます。挑戦者である彼らの世界での戦い方は、あらゆるジャンルで大いなるヒントと勇気を与えてくれるでしょう。

本書でも少し書きましたが、私は海外からアートコレクターが来日した際に東京の名所を案内することがあります。まず主要な美術館の訪問を提案しますが、たいてい来日したアートコレクターたちからは「自国に十分なコレクションを保有する美術館があるので、日本でしか見られないようなものを見せてほしい」と言われます。そして東京の建築やファッション、近年はお台場のデジタルアートミュージアムをリクエストされるのです。

このような経験を踏まえて、私なりに日本のアートが世界においてイニシアチブを取るために必要なことを考えてみたいと思います。

いろいろなやり方があるのでしょうが、私はまず日本で暮らす人たちがもっと日本の文化を愛することが必要だと思っています。私自身、常に心掛けていることですが、日本の文化を知り再評価することは世界へアプローチするためにとても重要であり、一番の早道だと思っています。なぜなら、日本にある文化は、世界に誇れるものが多いからです。

例えば「茶の湯」です。茶室でお茶をいただく習慣は洗練されたミニマルな日本独自の文化です。もっと気軽に茶を楽しむことができるようになれば、私たちの美意識は高まるような気がします。そして、日本の文化に対する再評価の意識も自然に高まっていくようにも感じます。

私は日々自分で茶を点《た》てて、気軽に抹茶を楽しんでいます。不思議と茶を点てているときやいただいているときは心が解き放たれ頭がクリアになります。すると、いろいろな想像や発想とともに「問い」も浮かんでくるものです。

床の間の文化なども、日本の住宅に改めて取り入れられれば良いのではないかとも思っています。限られた住空間の中で、縦に長い軸をかけることによって空間を広く感じさせ、四季があるこの日本で情趣や風情を楽しむことができるでしょう。日本の文化をライフスタイルに取り入れることによって、新たな日本的な「問い」を見つけることもできるかもしれません。

先ほどお話ししたように、日本には世界に高く評価されている建築家やファッションデザイナー、映画監督、アーティストたちがいます。特にテクノロジーアートやサイエンスアート、バイオアートでは、日本が世界をリードしています。日本のアートや文化には世界的な価値を持つポテンシャルが間違いなくあります。それを世界に伝える努力をしっかりと重ねていけば、やがて日本のアートが世界のイニシアチブを取ることができると私は信じて疑いません。日本で暮らす人々が、日本の文化を再評価しながらも最前線で活躍する日本人アーティストを応援する。一方でアーティストたちも個々の活動だけでなく、それぞれが力を合わせて総合力をもって世界に日本のアートを発信する。このことが今とても重要なのです。

最後に、本書の企画段階からあらゆる相談に乗っていただいた光文社の小松現さん、ありがとうございました。また、本書をまとめる上でお手伝いをしてくださった宇津木聡史さん、そして、労を惜しまず協力してくれた私のアシスタントの菅野真那未、西塚沙織にも感謝の意を表します。

２０２１年10月

吉井仁実

口絵・章扉デザイン　板倉洋
編集協力　宇津木聡史

吉井仁実（よしいひろみ）
1967年東京都生まれ。アートディレクター。清春芸術村理事長。HOKUTO ART PROGRAM 総合ディレクター。現代アートギャラリーhiromiyoshiiを運営。印象派、近代美術を扱う銀座の吉井画廊勤務を経て、'99年、HIROMI YOSHII EDITIONを設立。2010年、六本木にhiromiyoshii roppongiを開廊。'16年、アート＆サイエンスギャラリー〈AXIOM〉を設立。
清春芸術村：https://www.kiyoharu-art.com
hiromiyoshii現代アートギャラリー：http://hiromiyoshii.com/

〈問《と》い〉から始《はじ》めるアート思考《しこう》

2021年12月30日初版1刷発行
2022年1月25日　2刷発行

著　者 ── 吉井仁実
発行者 ── 田邉浩司
装　幀 ── アラン・チャン
印刷所 ── 堀内印刷
製本所 ── 国宝社
発行所 ── 株式会社 光文社
東京都文京区音羽1-16-6（〒112-8011）
https://www.kobunsha.com/
電　話 ── 編集部03（5395）8289　書籍販売部03（5395）8116
業務部03（5395）8125
メール ── sinsyo@kobunsha.com

 ISBN 978-4-334-04581-4

光文社新書

1151

ニュースの未来

石戸諭

テレビ、新聞、出版…ニュースを巡る環境が悪化するなか、本当にこれらのメディアに未来はないのか。気鋭のノンフィクションライターが、ニュースの本質とその未来に迫る。

978-4-334-04559-3

1152

「ボヘミアン・ラプソディ」の謎を解く

〝カミングアウト・ソング〟説の真相

菅原裕子

同名映画も大ヒットした「過去1000年で最も重要な曲」にフレディ・マーキュリーが込めたメッセージとは。膨大な資料をもとに、近年ささやかれている、ある「仮説」を検証。

978-4-334-04537-1

1153

日本の食と農の未来

「持続可能な食卓」を考える

小口広太

食の大部分を海外に依存している日本。国内の農業は高齢化や後継者不足が進み、待ったなしの状況にある。今、私たちは何を考え、行動すべきなのか。「等身大の自給」について考える一冊。

978-4-334-04560-9

1154

新聞記者、本屋になる

落合博

新聞記者であった著者はいかにしてひとり本屋を始めることができたのか。定年目前の58歳、子どもは3歳、書店員経験は0。第二の人生、妻の反対を押し切っての本屋開業記！

978-4-334-04561-6

1155

ルポ コロナ禍で追いつめられる女性たち

深まる孤立と貧困

飯島裕子

臨時休校、おうち時間、休業補償、テレワーク……。コロナ禍で生じた出来事の多くでより深刻な状況に陥ったのは女性だった。その背景にあるものを、当事者への取材から探る。

978-4-334-04562-3

1156

日本のジーパン

林芳亭

米国で生まれたジーンズがいかに日本で独自の発展を遂げたのか？　ジーンズ界の重鎮である著者がジーンズの歴史や、日本における受容のプロセス等「ジーパン愛」を語り尽くす。

978-4-334-04563-0

1157

脳の寿命を延ばす「脳エネルギー」革命

ブドウ糖神話の崩壊とケトン体の奇跡

佐藤拓己

巨大で大食漢な働き者「脳細胞」を長持ちさせる助っ人とは⁉ ヒトの脳の発達を可能にしたエネルギーとしてケトン体に注目。認知症・うつを防ぎ健康にも役立つ栄養摂取法を考察する。

978-4-334-04564-7

1158

田舎暮らし~~読~~毒本

樋口明雄

田舎暮らしにスローライフは存在しない！　東京から自然豊かな地方に移住して20年の小説家が満を持して贈る、田舎暮らしのノウハウと闇。本書を読まずして移住するべからず！

978-4-334-04565-4

1159

知ってるつもり

「問題発見力」を高める「知識システム」の作り方

西林克彦

「わからない」を見つけるために「きっちりわからなくなる」には？　ロングセラー『わかったつもり』刊行から16年。今最も求められる「問題発見力」を身につける方法を解説。

978-4-334-04566-1

1160

大下流国家

「オワコン日本」の現在地

三浦展

経済力の低下、人口縮小、ジェンダー格差、メディアの怠慢……この国はどこまで堕ちてゆくのか？　80万部超のヒット作『下流社会』から16年、最新データを基に再び日本を斬る。

978-4-334-04567-8

光文社新書

1161

名画の生まれるとき

美術の力II

宮下規久朗

人間にとって必要不可欠な「美術の力」とは？「名画の中の名画」から「美術鑑賞と美術館」「描かれたモチーフ」「信仰と政治」「死と鎮魂」まで。美術史家と読む、美術の本質に迫る55話。

978-4-334-04568-5

1162

野蛮な大学論

酒井敏

大学人よ、学問の本道に戻って野蛮さを取り戻せ！「京大変人講座」主宰の京大名物教授が、大学、アカデミズム、教養の本質をズバリ指摘する。豊かな社会のための大学改革論。

978-4-334-04569-2

1163

「問い」から始まる哲学入門

景山洋平

2600年にわたる哲学者の語りあい。そこでは何が問われたのか。なぜ「問い」続けてきたのか——。「問い」の歴史とその意味を知る、不確かな世界を生き抜くための哲学入門。

978-4-334-04570-8

1164

物理学者、SF映画にハマる

「時間」と「宇宙」を巡る考察

高水裕一

フィクションが未来の科学を導く!? タイムトラベルから星間飛行まで、物理学者とともに探る一度は夢見たSF世界の可能性。科学の目で見直せば、SF映画はもっと楽しくなる！

978-4-334-04571-5

1165

くじ引き民主主義

政治にイノヴェーションを起こす

吉田徹

民主主義＝選挙ではない。選挙によらない民主主義の形態を歴史的に振り返りつつ、政治参加のための「くじ引き」の可能性を示す。傷ついた民主主義をアップデートする希望の書。

978-4-334-04572-2

1166
なぜ中学受験するのか？
おおたとしまさ

やり方次第で「良薬」にも「毒」にもなるのが中学受験。気鋭の教育ジャーナリストが膨大な取材経験と古今東西の文献から導き出した、中学受験の是非論へのファイナルアンサー。

978-4-334-04573-9

1167
毛
生命と進化の立役者
稲葉一男

えっ⁉ 脳の中の毛？ ウイルスから守る毛？ CO_2で止まる毛？「細胞の毛」研究三〇年のスペシャリストが、生き物や自然、そして私たちの命を支える驚くべきミクロの世界を綴る。

978-4-334-04574-6

1168
肥満・糖尿病の人はなぜ新型コロナに弱いのか
「糖質過剰」症候群Ⅱ
清水泰行

新型コロナのパンデミックや病状悪化の要因となると考えられる糖質の過剰摂取。本書では糖質過剰が新型コロナだけでなく数多《あまた》の疾患の原因となる理由を、最新研究を交え伝える。

978-4-334-04575-3

1169
人生を変えた韓国ドラマ 2016～2021
藤脇邦夫

「愛の不時着」「梨泰院《イテウォン》クラス」「賢い医師生活」「イカゲーム」など世界を席巻するKコンテンツの一つとなった韓国ドラマ。その深い魅力を傑作80選とともに徹底解説！

978-4-334-04576-0

1170
不登校・ひきこもり急増
コロナショックの支援の現場から
杉浦孝宣＋NPO法人高卒支援会

コロナ禍で不登校・ひきこもりの子どもたちは増えただけでなく、可視化されづらくなった。リアルとオンラインを駆使することで前よりもパワーアップした支援現場の知見を学ぶ。

978-4-334-04577-7

光文社新書

1171
保健所の「コロナ戦記」TOKYO2020-2021
関なおみ

'20～'21年にかけ、保健所と都庁の感染症対策部門の課長としてコロナ対策の第一線で指揮を執り続けた公衆衛生医師の記録。国立国際医療研究センター・大曲貴夫氏との対談も収録。

978-4-334-04578-4

1172
火星の歩き方
臼井寛裕
野口里奈
庄司大悟

気球でまわる火星一周の旅から、標高2万m超のオリンポス登山、自然の造形美あふれる極地ツアーまで。3人の研究者による、火星の魅力がとことん詰まったガイドブックの決定版！

978-4-334-04580-7

1173
JJとその時代
女のコは雑誌に何を夢見たのか
鈴木涼美

JJに象徴される雑誌は、なぜ多くの女性の心をとらえたのか。単なるファッション情報だけではない、女性が託したもの、夢見たものとは何か。雑誌の時代への限りない愛着をこめた挽歌。

978-4-334-04583-8

1174
〈問い〉から始めるアート思考
吉井仁実

「問い」は「答え」より大きな力を持つ。生きることは「問い」の模索である――。「目に見えないものを見る」には？ アートディレクターと考える、アイデア&イノベーションの育み方。

978-4-334-04581-4

1175
オリックスはなぜ優勝できたのか
苦闘と変革の25年
喜瀬雅則

下馬評を大きく覆し、2年連続最下位からのペナント制覇は、いかに成し遂げられたのか？ 逆に、なぜかくも長き暗黒時代が続いたのか？ 元番記者が豊富な取材で綴る。

978-4-334-04582-1